Deutsch für das Berufsleben B1

Kursbuch

von
Graziella Guenat
Peter Hartmann

W9-BZC-501

Ernst Klett Sprachen
Stuttgart

Deutsch für das Berufsleben B1

Kursbuch

von
Graziella Guenat
Peter Hartmann

Weitere Komponente:
Deutsch für das Berufsleben B1
Übungsbuch   ISBN 978-3-12-675726-3

1. Auflage 1   5 4 3 2 1 | 2014 2013 2012 2011 2010

Alle Drucke dieser Auflage können nebeneinander benutzt werden, sie sind untereinander unverändert.
Die letzte Zahl bezeichnet das Jahr des Druckes.

© Ernst Klett Sprachen GmbH, 2010
© der Originalausgaben Klett und Balmer AG, Zug, 2009/2010

Internet: www.klett.de

Gestaltung, Layout und Illustrationen: Helm AG, Suhr
Satz: Helm AG, Suhr; Satzkasten, Stuttgart
Druck: W. Kohlhammer Druckerei GmbH + Co. KG, Stuttgart

ISBN: 978-3-12-675725-6

Vorwort

Deutsch für das Berufsleben B1 ist ein Lehrwerk für Erwachsene auf der Niveaustufe B1.
Es richtet sich an Lernende, die ihre Deutschkenntnisse besonders im beruflichen Kontext anwenden und verbessern wollen.
Das vorliegende Kursbuch bildet zusammen mit dem Übungsbuch (ISBN 978-3-12-675726-3) ein Lern- und Übungspaket. Deshalb sollten beide Komponenten auch zusammen im Kurs bearbeitet werden.
Kurs- und Übungsbuch vermitteln beide kommunikative Kompetenzen aus der Geschäftswelt und dem privaten Bereich verbunden mit formalem Sprachunterricht und Grammatiktraining. Dabei setzen sie unterschiedliche Schwerpunkte.

Das Kursbuch übt besonders die Fertigkeiten Hören, Sprechen und Lesen. Neben zahlreichen kommunikativen Übungen bietet es auch heraustrennbare Datenblätter, die mittels Informationen zu vorgegebenen Situationen das Sprechen in Partnerarbeit erleichtern.
Die zwei beigelegten Audio-CDs fördern das Hörverstehen und unterstützen die Übungen im Kursbuch. Außerdem finden Sie die Transkriptionen aller Hörtexte im Anhang des Buches.
Die jeweils letzte Seite jedes Kapitels widmet sich mit Texten zur oder aus der Geschäftswelt dem Lesen.

Die sechs Kapitel des Kursbuchs sind thematisch gegliedert und geben zur besseren Orientierung jeweils am Anfang die Lernziele an. Verweise auf die Datenblätter und auf die passenden Seiten des Übungsbuchs erleichtern Ihnen den Umgang mit den beiden Komponenten. Zur leichteren Kontrolle der Übungen im Kursbuch finden Sie die Lösungen im Anhang. Die alphabetische Wörterliste am Ende dieses Buches basiert auf dem Wortschatz von Kurs- und Übungsbuch.

Viel Spaß und Erfolg mit *Deutsch für das Berufsleben B1* wünschen

Autoren und Verlag

Inhalt

Syllabus

Kapitel	Thema	Grammatik
1.1	Ins In- und Ausland telefonieren	*Ja- und Nein-Fragen, W-Fragen, das Präsens*
1.2	Den richtigen Gesprächspartner erreichen Einen Rückruf vereinbaren	*Zeitangaben mit und ohne Präpositionen, Ordnungszahlen, indirekte Fragen, Modalverben im Präsens, Gebrauch von erst/nur*
1.3	Sein Anliegen vortragen und herausfinden, mit wem man sprechen muss Namen und Adressen buchstabieren	*Einige Ausdrücke mit Präpositionen: sprechen mit dem/der, eine Frage zu dem/der, anrufen wegen des/der, zuständig sein für den/die/das, es handelt sich/geht um den/die/das*
1.4	Nachrichten hinterlassen und verstehen	*Imperativ, dass-Sätze*
1.5	Verabredungen treffen und ändern Gründe angeben	*Hauptsatz: Aussagesatz, Fragesatz, Imperativsatz, und – aber – oder – denn Nebensatz: weil, dass, indirekte Fragen*
2.1	Einen Besucher begrüßen Sich unterhalten	*Präteritum der Hilfsverben haben/sein Perfekt*
2.2	Eine Erfrischung anbieten Um Hilfe bitten	*Bestimmte, unbestimmte Artikel, Demonstrativ- und Negativartikel, Nominativ und Akkusativ, Negation*
2.3	Sich und andere vorstellen	*Possessivartikel Possessivpronomen Informationen zur Person erfragen*
2.4	Das Tagesprogramm erklären	*Uhrzeit, Stellung des Subjekts und Prädikats (Verb) im Hauptsatz*
2.5	Eine Betriebsführung Namen der Abteilungen und Ortsangaben	
3.1	Eine Einladung aussprechen, annehmen, ablehnen Termine vereinbaren Restaurants empfehlen	*Konjunktiv II, Stellung von temporalen, modalen und lokalen Angaben*
3.2	Im Restaurant: ein Gericht wählen, bestellen und bezahlen	*Dativ, Personalpronomen*
3.3	Über Familie und Zuhause sprechen	*außerhalb/innerhalb/in der Nähe des/der*
3.4	Über Freizeit sprechen	*Futur*
3.5	Über Ferien/Urlaub sprechen	*Perfekt mit haben oder sein (Wiederholung)*

Syllabus

Kapitel	Thema	Grammatik
4.1	Unternehmen und ihre Produkte kennen lernen	*Relativsätze (der/die/das, welcher/welche/welches, wo, was)*
4.2	Unternehmen verschiedenen Branchen zuordnen	*Fragewörter (welcher/welche/welches, was für ...)* *Adjektive bei Nomen (nach unbestimmten Artikeln und Possessivartikeln)*
4.3	Informationen zu verschiedenen Unternehmen einholen	*Zahlen und Mengenangaben (Kardinalzahlen, Ordinalzahlen, Brüche, Dezimalzahlen)* *Komparativ, Genitiv*
4.4	Organigramme und Strukturen von Unternehmen erklären	*Gebrauch des bestimmten Artikels bei geografischen Namen*
4.5	Ein Unternehmen vorstellen	*Vergangenheit in Präsens-Zeitform* *Infinitivsätze mit „zu"*
5.1	Den Aufbau einer Firma und die Aufgaben verschiedener Abteilungen erklären	*Verben und Adjektive mit Präpositionen (mit Akkusativ oder Dativ)*
5.2	Über Arbeitszeit und Bezahlung sprechen	*Superlativ* *Adjektive bei Nomen (nach bestimmten Artikeln)*
5.3	Den Weg innerhalb eines Gebäudes beschreiben	*Präpositionen und Ortsangaben mit Akkusativ, mit Dativ, Wechselpräpositionen*
5.4	Funktionen und Stellenbeschreibungen in einer Firma kennen	*Präpositionaladverbien* *Reflexivpronomen*
5.5	Über die Einstellung zur Arbeit sprechen	
6.1	Hotelempfehlungen anfordern, ein Hotelzimmer reservieren, eine Reservierung ändern	*Adjektive bei Nomen ohne Artikel*
6.2	Fahrpläne lesen, Fahrkarten kaufen, Lautsprecherdurchsagen verstehen	*Temporaladverbien, Nebensätze, Konjunktionaladverbien*
6.3	Sich auf dem Flughafen zurechtfinden, ein Auto mieten	
6.4	Zu Fuß oder mit öffentlichen Verkehrsmitteln unterwegs sein, Wegbeschreibungen für Autofahrten verstehen	*Orts- und Richtungsangaben (in, nach, zu [Wiederholung])*
6.5	Handelsmessen kennen lernen, Ziele und Absichten formulieren	*Finalsätze (damit), Infinitivkonstruktion mit „um ... zu"* *Präteritum* *Passiv*

Kapitel 1
Am Telefon

Lernziele

In diesem Kapitel lernen und üben Sie:
- Einen Anruf auf Deutsch zu tätigen
- Zu der richtigen Person durchzukommen und einen Rückruf zu vereinbaren
- Ihr Anliegen zu erklären und die zuständige Person herauszufinden
- Eine Nachricht zu hinterlassen und eine aufgenommene Nachricht zu verstehen
- Einen Termin zu vereinbaren, zu verschieben oder abzusagen

1.1 Das Inlands- und Auslandsgespräch

A **1** Lesen Sie die folgenden Informationen und lösen Sie anschließend die Aufgabe 2.

INS AUSLAND TELEFONIEREN

Um ins Ausland zu telefonieren, müssen Sie einiges beachten:
– Wählen Sie die entsprechende Landesvorwahl aus der unten angegebenen Liste.
– Für das + müssen Sie Ihre Zugangsziffern für das Ausland wählen.
  In den meisten Ländern ist die internationale Vorwahl die 00.
– Wählen Sie die Ortsvorwahl (ohne die erste 0) und die Telefonnummer.

Beispiel
+43 (0) 1234 56789:
Aus dem Inland: 01234 56789
Von anderen Ländern aus: 0043 1234 56789

Landesvorwahl		Ortsvorwahl	
+ 30	Griechenland	Berlin	(0) 30
+ 32	Belgien	Bonn	(0) 228
+ 33	Frankreich	Dortmund	(0) 231
+ 34	Spanien	Dresden	(0) 251
+ 39	Italien	Frankfurt a. Main	(0) 69
+ 41	Schweiz	Hamburg	(0) 40
+ 43	Österreich	München	(0) 89
+ 49	Deutschland	Stuttgart	(0) 711
+ 61	Australien	Wien	(0) 1
+ 90	Türkei	Basel	(0) 61
+ 212	Marokko	Bern	(0) 31
+ 285	Kroatien	Freiburg	(0) 26
+ 351	Portugal	Genf	(0) 22
+ 1809	Dom. Republik	Zürich	(0) 44/43

2 Beantworten Sie die Fragen mit Hilfe der Informationen oben.

1 Die Firma Vontobel hat die Telefonnummer (49) 030 / 944 95 28.
  – Identifizieren Sie die Landesvorwahl, die Ortsvorwahl und die Rufnummer.
  – In welchem Land befindet sich die Firma?
  – Was wählen Sie, wenn Sie die Firma aus Ihrem Land anrufen?
2 Wie ist die Landesvorwahl der Türkei?
3 Wie ist die Ortsvorwahl von München, Berlin und Wien?
4 Fragen Sie Ihren Partner/Ihre Partnerin nach weiteren Vorwahlnummern.

B

Track 1

Frau Walther von der Firma Haidinger in Linz muss Frau Seidel von der Firma Gummimeyer in München anrufen. Die Nummer ist 17 33 – 24.
Eine Kollegin erklärt, wie man das macht. Ergänzen Sie den Text mit Hilfe der Informationen von Teil A auf S. 8. Kontrollieren Sie dann Ihre Antworten mit Hilfe der CD.

„Sie wählen zuerst die

1).................................,

also von uns aus 00. Dann wählen Sie die

2) ...., das heißt

3) .... für Deutschland. Danach kommt die

4) .... für München.

Sie lassen da die 5) .... weg

und wählen somit 89.

Dann kommt die 6) .... der

Firma, also 17 33. Auf diesem Brief steht auch Frau

Seidels 7) ....

Wenn Sie direkt nach der 8) .... -24 wählen, erreichen Sie Frau Seidel direkt."

C

Erklären Sie Ihrem Partner/Ihrer Partnerin, wie man folgende Firmen von Ihrem Land aus anruft.
(Die Vorwahl wird oft in einzelnen Ziffern angegeben. Die Rufnummer wird in einzelnen Ziffern oder in Paaren angegeben.)

1 Zimmerli & Co. in Basel, Tel. (061) 243 31 95
2 Frau Wittich bei Gerberich GmbH in Bonn, Tel. (02 28) 16 78 - 34
3 Buchhandlung H. Thomas in München, Tel. (089) 38 21 34 85
4 Müller Electronic in Wien, Tel. (01) 360 03 47

D

Track 2

Vier Personen in Deutschland rufen die internationale Auskunft an, um nach einer Telefonnummer zu fragen. Notieren Sie die Nummern.

1 Flora-Print, Wien   **1** Tel. ....

2 Intrex Trading, Paris   **2** Tel. ....

3 UNISYS España, Madrid   **3** Tel. ....

4 International Watch & Co., Schaffhausen   **4** Tel. ....

E

Rufen Sie die nationale Auskunft an.
Partner A benutzt Datenblatt A1, S. 79.   Partner B benutzt Datenblatt B1, S. 80.

1.2 Sich melden, nach jemandem fragen

A

Track 3

Sie hören vier automatische Hinweisansagen. Ergänzen Sie die Sätze.

1 „Kein .... unter dieser Nummer."

2 „Die Rufnummer des .... hat sich ....

Bitte wählen Sie: ...."

3 „Die .... für Hinterliederbach hat sich ....

Bitte .... Sie vor der .... 20."

4 „Alle .... sind zur Zeit .... Bitte ....

Sie nicht ....! Sie werden gleich.......................!"

B

Track 4

Sie hören den Anfang von drei Telefongesprächen. Beantworten Sie die Fragen zu jedem Gespräch.

Anruf 1

1 Welche Firma ruft Frau Henrik an?..

2 Wen möchte sie sprechen? ....

Anruf 2

1 Aus welchem Land ruft Herr Werner an?..

2 Hat Herr Werner Frau Pfeiffers Durchwahl?..

Anruf 3

1 Welche Firma wollte der Anrufer erreichen?...

2 Warum erreicht er die Firma nicht?...

C

Track 5

Sie hören ein Telefongespräch. Ergänzen Sie die folgende Gesprächsnotiz:

Gesprächsnotiz

An:

☐ Herr   ☐ Frau

Firma:

Straße: Ort:

Tel.-Nr.:   Datum:

☐ hat angerufen   ☐ ruft wieder an am / um
☐ bittet um Rückruf   ☐ bittet um Besprechungstermin am / um

Betrifft:

Aufgenommen von:

D

Track 6

In den folgenden drei Anrufen bei der Firma Braun sind die Gesprächspartner im Moment nicht zu erreichen. Notieren Sie zu jedem Gespräch:

1 den Namen des gewünschten Gesprächspartners
2 warum der Gesprächspartner nicht zu erreichen ist
3 wann der Teilnehmer wieder anruft

Anruf 1

1 ....

2 ....

3 ....

Anruf 2

1 ....

2 ....

3 ....

Anruf 3

1 ....

2 ....

3 ....

E

Üben Sie ähnliche Dialoge mit Hilfe der Sprachmuster und der Zeitangaben.

(Steinke), Apparat (Müller), guten Tag. / (Linz) am Apparat.

▼

Ich möchte bitte Herrn/Frau (Hofer) sprechen. / Spreche ich mit Herrn/Frau (Bach)?

▼

Herr/Frau (Lutz) ist im Moment nicht da / in einer Besprechung / auf Geschäftsreise.
Soll ich etwas ausrichten?   Wollen Sie zurückrufen?
Kann ich Ihnen helfen?

▼

Nein, danke. Ich muss ihn/sie persönlich sprechen.

▶

Wann kann ich ihn/sie erreichen?
Können Sie mir sagen, wann ich ihn/sie erreichen kann?
Wissen Sie, ob er/sie diese Woche wieder im Büro ist?

▼

Sie können es (in einer halben Stunde / gegen 16:00 Uhr) wieder probieren.
Am besten rufen Sie (morgen) zurück. Er/Sie ist (erst) ab (8:30 Uhr) im Büro.
Er/Sie ist (erst) nächsten Montag wieder da.

▼

Gut, dann rufe ich … wieder an. Vielen Dank, auf Wiederhören.

Zeitangaben für den Rückruf

Sie können … etwas später / in 10 Minuten / in zwei Stunden / nach der Mittagspause / heute Nachmittag … zurückrufen.	Er/Sie ist (erst) … übermorgen / am Freitag / nächsten Dienstag / nächste Woche … wieder im Büro.

F

Spielen Sie weitere Telefongespräche.
Partner A benutzt Datenblatt A2, Seite 79.   Partner B benutzt Datenblatt B2, Seite 80.

1.3 Sich nach der Zuständigkeit erkundigen

A **1** **Wenn man nicht weiß, wer zuständig ist, muss man den Grund des Anrufs kurz erklären.**
Sie hören den Anfang von drei Anrufen nach Deutschland.
Beantworten Sie die Fragen zu jedem Gespräch.

o1
Track 7

Anruf 1

1 Grund des Anrufs .... über Konferenzeinrichtungen

2 Verbunden mit ....

Anruf 2

1 Grund des Anrufs ....

2 Verbunden mit ....

Anruf 3

1 Grund des Anrufs ....

2 Verbunden mit ....

2 **Hören Sie sich die Anrufe noch einmal an und ergänzen Sie.**

Anruf 1

Ich möchte .... Informationsmaterial .... Ihre Konferenzeinrichtungen.

Bei wem müsste ich das ....?

Ich .... Sie .... der Bankettabteilung.

Anruf 2

Mit wem spreche ich .... besten ....?

Worum .... es sich?

Es geht .... eine Reklamation wegen einer mechanischen Presse,

die Sie uns .... haben.

Anruf 3

Ich rufe .... einer Rechnung an, die ich .... bekommen habe.

Wer ist dafür ....? Ich habe eine .... zu Ihrer letzten ....

Nr. .... Bleiben Sie .... Apparat. Ich verbinde Sie ....

12

B **Spielen Sie ähnliche Dialoge und benutzen Sie die Ausdrücke von A.**

Anrufer: Sie rufen die Firma Schäfer in Berlin aus folgenden Gründen an:
1 Die Lieferung Ihrer Bestellung Nr. AM/89 ist noch nicht eingetroffen und Sie möchten wissen,
wo sie bleibt. Sie haben Kunden, die schon seit einigen Wochen auf die Ware warten.
2 Sie haben vor sieben Wochen Ware geliefert und warten noch auf Zahlung Ihrer Rechnung Nr. 98106.
3 Vor einer Woche haben Sie eine Kaffeemaschine gekauft. Leider funktioniert sie nicht mehr.
4 Sie möchten Tennisschuhe (Bestell-Nr. 361-10) bestellen.

Zentrale:
Verbinden Sie den Anrufer mit der richtigen Abteilung:
der Kundendienst / die Buchhaltung / die Versandabteilung / die Verkaufsabteilung

C **Am Telefon muss man oft Namen und Adressen buchstabieren. Buchstabieren Sie folgende Namen.**
Benutzen Sie das Telefonalphabet.

Track 8

1 Jäger **2** Münch **3** Swarowski **4** Zeiss **5** Weyhe **6** Quantas

A	=	Anton	G	=	Gustav	O	=	Otto
Ä	=	Ärger	H	=	Heinrich	Ö	=	Ökonom
B	=	Berta	I	=	Ida	P	=	Paula
C	=	Cäsar	J	=	Julius	Q	=	Quelle
Ch	=	Charlotte	K	=	Kaufmann	R	=	Richard
D	=	Dora	L	=	Ludwig	S	=	Samuel
E	=	Emil	M	=	Martha	Sch	=	Schule
F	=	Friedrich	N	=	Nordpol	T	=	Theodor

U = Ulrich
Ü = Übermut
V = Viktor
W = Wilhelm
X = Xanthippe
Y = Ypsilon
ß = Eszett
Z = Zacharias

Beispiel Bach:
B wie Berta, A wie Anton, C wie Cäsar, H wie Heinrich oder Berta, Anton, Charlotte

D **Eine Mitarbeiterin einer französischen Firma ruft eine Firma in Deutschland an.**
Ergänzen Sie.

Track 9

Name: ....

Firma: ....

Adresse: ....

PLZ/Wohnort: ....

Grund des Anrufs: ....

E **Spielen Sie weitere Telefongespräche.**
Partner A benutzt Datenblatt A3, S. 81. Partner B benutzt Datenblatt B3, S. 82.

1.4 Eine Nachricht hinterlassen

A

Track 10

Sie hören den Anfang von drei Telefongesprächen. Aus welchem Grund ist der gewünschte Gesprächspartner nicht zu erreichen? Notieren Sie. Für einige Punkte gibt es keine Antworten.

Gründe:	Dialog Nr.
Er/Sie ist krank.	....
ist beim Mittagessen.	....
ist in einer Sitzung.	....

Gründe:	Dialog Nr.
Er/Sie ist heute nicht im Haus.	....
ist nicht an seinem/ihrem Platz.	....
spricht auf der anderen Leitung.	....

B **1** In den folgenden zwei Telefongesprächen hinterlässt der Anrufer eine Nachricht.
Vergleichen Sie die Gespräche 1 und 2 mit der entsprechenden Notiz und korrigieren Sie eventuelle Fehler.

Track 11 – 12

GESPRÄCHSNOTIZ
An: Herrn Kaderli
☐ Herr ☒ Frau Dupont
Firma: ABN
Straße: Ort: Lyon
Tel.-Nr.: 33 24 79 36 80 Datum: 14.3.
Uhrzeit: 7 8 9 10 11 <u>12</u> 13 14 15 16 17 18
☒ hat angerufen ☐ ruft wieder an am / um
☒ bittet um Rückruf ☐ bittet um Besprechungs-
termin am / um
Betrifft:
Einen Besuchstermin. Ist bis 17:00 Uhr im Büro.
Aufgenommen von: Zimmermann

GESPRÄCHSNOTIZ
An: Frau Lutz
☒ Herr ☐ Frau Peterson
Firma: Teleteknik
Straße: Ort: Viborg
Tel.-Nr.: Datum: 19.5.
Uhrzeit: 7 8 9 10 11 <u>12</u> 13 14 15 16 17 18
☒ hat angerufen ☐ ruft wieder an am/um
☒ bittet um Rückruf ☐ bittet um Besprechungs-
termin am / um
Betrifft: Erbittet Bestätigung von Auftrag
Nr. 2834/b. Dringend
Aufgenommen von: Zimmermann

2 Sie hören nun ein drittes Gespräch. Ergänzen Sie die dritte Gesprächsnotiz.
Dann vergleichen Sie Ihre Notizen mit denen Ihres Partners/Ihrer Partnerin.

Track 13

Gesprächsnotiz
An:
☐ Herr ☐ Frau
Firma:
Straße: Ort:
Tel.-Nr.: Datum:
☐ hat angerufen ☐ ruft wieder an am / um
☐ bittet um Rückruf ☐ bittet um Besprechungstermin am / um
Betrifft:
Aufgenommen von:

C **1** **Üben Sie ähnliche Dialoge mit Hilfe der Sprachmuster.**

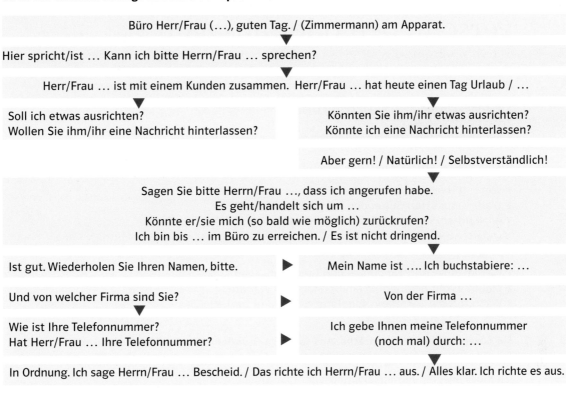

Büro Herr/Frau (…), guten Tag. / (Zimmermann) am Apparat.

▼

Hier spricht/ist … Kann ich bitte Herrn/Frau … sprechen?

▼

Herr/Frau … ist mit einem Kunden zusammen. Herr/Frau … hat heute einen Tag Urlaub / …

▼

Soll ich etwas ausrichten?
Wollen Sie ihm/ihr eine Nachricht hinterlassen?

Könnten Sie ihm/ihr etwas ausrichten?
Könnte ich eine Nachricht hinterlassen?

▼

Aber gern! / Natürlich! / Selbstverständlich!

▼

Sagen Sie bitte Herrn/Frau …, dass ich angerufen habe.
Es geht/handelt sich um …
Könnte er/sie mich (so bald wie möglich) zurückrufen?
Ich bin bis … im Büro zu erreichen. / Es ist nicht dringend.

▼

Ist gut. Wiederholen Sie Ihren Namen, bitte.   ▶   Mein Name ist …. Ich buchstabiere: …

Und von welcher Firma sind Sie?   ▶   Von der Firma …

▼

Wie ist Ihre Telefonnummer?
Hat Herr/Frau … Ihre Telefonnummer?   ▶   Ich gebe Ihnen meine Telefonnummer
(noch mal) durch: …

In Ordnung. Ich sage Herrn/Frau … Bescheid. / Das richte ich Herrn/Frau … aus. / Alles klar. Ich richte es aus.

2 **Hinterlassen Sie Telefonnachrichten und nehmen Sie welche entgegen.**
Partner A benutzt Datenblatt A4, S. 81.   Partner B benutzt Datenblatt B4, S. 82.

D **Sie hören drei Ansagen auf Anrufbeantwortern. Beantworten Sie die Fragen zu jeder Ansage.**

Track 14

Ansage 1: Firma Wollgast & Co.

1 Warum ist das Büro geschlossen?
2 Wenn Sie eine Nachricht hinterlassen,
wann können Sie einen Rückruf erwarten?

Ansage 2: Firma Klaus Forsbach

1 Wann ist das Büro geöffnet?
2 Welche Einzelheiten sollen Sie in einer
Nachricht angeben?

Ansage 3: Jochen Schmidt

1 Warum hören Sie den Anrufbeantworter?
2 Sie müssen Herrn Schmidt dringend sprechen.
Welche Nummer wählen Sie?

E **Sie können den gewünschten Gesprächspartner nicht erreichen. Hinterlassen Sie eine Nachricht
auf dem Anrufbeantworter. Benutzen Sie diese Notizen und sprechen Sie die Nachricht Ihrer
Partnerin/Ihrem Partner vor.**

Name / Firma : …
Nachricht für : Loredana
Grund des Anrufs: Ankunft Montag 15:10 Uhr
Flughafen Tegel, Flugnummer LH 103. Abholen?
Bitte zurückrufen.

Name / Firma : …
Nachricht für : Herrn Fromme
Grund des Anrufs:
Nächsten Dienstag in München. Treffen möglich?
Bitte zurückrufen, um passenden Termin zu
vereinbaren.

1.5 Einen Termin vereinbaren, verschieben oder absagen

A

Track 15

Dialog 1: Herr Sutter ruft Herrn Langmann an, um einen Termin zu vereinbaren.

1 Warum möchte Herr Sutter Herrn Langmann treffen?
2 Wo treffen sie sich?
3 Für welchen Tag und welche Uhrzeit wird der Termin vereinbart?

Dialog 2: Herr Sutter muss den vereinbarten Termin verschieben.

1 Wer ruft Herrn Langmann an?
2 Warum muss Herr Sutter den Termin verschieben?
3 An welchem Tag und um wie viel Uhr treffen sie sich?

Dialog 3: Leider muss Herr Langmann den Termin mit Herrn Sutter absagen.

1 Warum muss Herr Langmann den Termin absagen?
2 Klappt es mit dem Termin am Donnerstag? Warum?
3 Wann ruft die Sekretärin von Herrn Langmann zurück?

B 1 **Sie hören drei Telefongespräche. Aus welchen Gründen müssen die Anrufer ihre Termine absagen bzw. verschieben?**

Track 16

Ich muss unseren Termin leider absagen/verschieben, …

1 …… es ist nämlich etwas dazwischengekommen.

2 …… denn ich stehe im Moment auf der Autobahn im Stau.

3 …… da ich ganz plötzlich eine Geschäftsreise machen muss.

4 …… weil die Fluglotsen hier am Flughafen streiken.

5 …… weil ich im Moment zu beschäftigt bin.

6 …… weil wir hier in der Firma im Augenblick einige Probleme haben.

7 …… aus persönlichen Gründen.

2 **Hören Sie die drei Gespräche noch einmal. Welche neuen Vereinbarungen treffen die Gesprächspartner?**

Dialog 1: ....
....

Dialog 2: ....
....

Dialog 3: ....
....

C **Sie müssen einen Termin verschieben. Spielen Sie abwechselnd die Rolle des Anrufers und des Angerufenen in folgenden Situationen.**

Anruf 1
Sie haben einen Termin mit Herrn Krause von der Firma Klingspor am Mittwoch, dem 29. November, um 11:15 Uhr, müssen aber leider absagen. Rufen Sie ihn an und vereinbaren Sie einen neuen Termin.

Anruf 2
Sie haben eine Besprechung mit Ihrer Kollegin, Frau Walter. Sie haben am nächsten Dienstag um 15:30 Uhr einen Termin, können ihn aber nicht einhalten und möchten ihn auf nächste Woche verschieben.

Benutzen Sie diese Ausdrücke und wählen Sie einen passenden Grund aus B:

Es geht um unseren Besuchstermin/unsere Besprechung am …
Ich muss diesen Termin leider absagen. / Ich kann den Termin leider nicht einhalten.
Wäre es möglich, einen neuen Termin zu vereinbaren?
Könnten wir den/unseren Termin um eine Woche/auf den (4. Dezember)/auf nächste Woche verschieben?

D **Sie haben für folgende Woche einen Kundentermin, müssen aber leider absagen. Hinterlassen Sie eine Nachricht auf seinem/ihrem Anrufbeantworter. Sagen Sie:**

– Namen und Firmennamen
– Für wann der Termin vereinbart wurde.
– Warum Sie den Termin absagen müssen.
– Wann Sie wieder anrufen.

E **Vereinbaren und ändern Sie einen Termin mit einem Gesprächspartner.**
Partner A benutzt Datenblatt A5, S. 83.   Partner B benutzt Datenblatt B5, S. 84.

Zum Lesen

So kommunizieren europäische Unternehmen

Immer mehr Unternehmen telefonieren via Internet

Unentgeltliche Telefon- und Videokonferenzen ersetzen im Arbeitsalltag immer häufiger kostenpflichtige Konferenzdienste sowie Meetings oder Geschäftsreisen. Zu diesem Ergebnis kommt eine Studie des Software-Unternehmens Skype.

Über die Hälfte der befragten europäischen Unternehmen plant, kostenlose Sprach- und Videokonferenzen in den kommenden zwölf Monaten verstärkt in ihre Arbeitsabläufe einzubinden: sowohl zur internen Kommunikation unter Kollegen und Teams als auch zum externen Austausch mit Kunden und Partnern.

Ein Drittel der Befragten nutzt bereits heute Telefon- und Videokonferenzen. Weitere 40 Prozent der Unternehmen planen die zukünftige Benutzung solcher Technologien im Arbeitsalltag.

Deutsche nutzen die Technik besonders häufig

Unter denen, die Telefonkonferenzen bereits einsetzen, halten europaweit zwei Drittel mindestens eine Sprachkonferenz pro Woche ab. Deutsche Unternehmen sogar noch häufiger:

78 Prozent nutzen die kostenlose Internet-Telefonie mindestens einmal wöchentlich. Auch der relativ neuen Technologie von Videokonferenzen schenken Unternehmen verstärkt ihre Aufmerksamkeit: Mehr als 40 Prozent der Befragten sehen Vorteile in einer geschäftlichen Nutzung. Beim Kommunikationsunternehmen Skype enthalten mittlerweile 30 Prozent aller Anrufe Videodaten.

Die Vorteile von Telefon- und Videokonferenzen

Als wichtigste Vorteile von Telefonkonferenzen nennen die Befragten geringere Ausgaben für Geschäftsreisen, eine einfachere und verbesserte Kommunikation sowie Kosteneinsparungen.

Bei den Videokonferenzen stellt zudem die nonverbale Kommunikation über Mimik und Körpersprache einen wesentlichen Vorteil dar.

Das Unternehmen Skype stützt seine Studie „Telephone and Videoconferencing in European SMBs" auf die Befragung von circa 1 000 europäischen Kleinunternehmen.

Autor(en): Andrea König, © www.CIO.de

Kapitel 2
Auf Geschäftsbesuch

Lernziele
In diesem Kapitel lernen und üben Sie:
- Einen Besucher zu empfangen
- Erfrischungen und Hilfe anzubieten
- Sich und andere vorzustellen
- Das Besuchsprogramm zu erklären
- Jemandem die Firma zu zeigen

2.1 Sind Sie Herr Becker?

A **1** **Hören Sie sich zwei Gespräche an. Was ist hier richtig, falsch oder nicht bekannt?**

🔘 Track 17

Dialog 1	stimmt	stimmt nicht	nicht bekannt
1 Anna Brett kennt Herrn Becker schon.	☐	☐	☐
2 Sie ist von der Firma Norco.	☐	☐	☐
3 Sie treffen sich abends.	☐	☐	☐
4 Anna Brett ist verheiratet.	☐	☐	☐

Dialog 2	stimmt	stimmt nicht	nicht bekannt
1 Herr Dr. Kullmann hat einen Termin bei Ulla Andersen.	☐	☐	☐
2 Sie treffen sich vormittags.	☐	☐	☐
3 Sie treffen sich zum ersten Mal.	☐	☐	☐

2 **Diskutieren Sie folgende Fragen.**

1 Wann sagt man „Guten Morgen/Tag/Abend"?
2 Wie begrüßt man jemanden in einer Geschäftssituation?
3 Wann gibt man sich die Hand?

B **Stellen Sie sich anderen Kursteilnehmern vor.**

Begrüßung ...		... und Verabschiedung	
Guten Morgen	– bis etwa 10 oder 11 Uhr	Gute Nacht	– zur Schlafenszeit
Guten Tag	– den ganzen Tag bis etwa 18 Uhr	(Auf) Wiedersehen	– zu jeder Zeit
Hallo!	– den ganzen Tag (umgangssprachlich)	(Auf) Wiederschauen	– zu jeder Zeit in Süddeutschland und Österreich
Grüß Gott	– den ganzen Tag in Süddeutschland und Österreich	Tschüs(s)	– zu jeder Zeit (umgangssprachlich)
Guten Abend	– ab etwa 18 Uhr		

C Worüber spricht man, wenn man sich in einer Geschäftssituation zum ersten Mal trifft? Worüber spricht man nicht? Diskutieren Sie.

a) Sport   b) das Wetter   c) Politik   d) das Hotel   e) das Einkommen
f) die Reise   g) die Heimat   h) die Arbeit   i) den Urlaub   j) Städte, die man kennt
k) etwas anderes (was?)

D **1** Frau Brett und Herr Becker unterhalten sich während der Autofahrt vom Flughafen. Worüber sprechen sie? Wählen Sie aus den Themen in C aus.

Track 18

2 Hören Sie das Gespräch noch einmal. Wie beantwortet Herr Becker die Fragen? Eine Frage ist nicht im Hörtext. Welche?

1 Wie war die Reise?

a) Ganz gut, danke. Wir hatten nur fünf Minuten Verspätung.
b) Sehr gut, danke. Wir sind pünktlich gelandet.

2 Haben Sie gut zu uns gefunden?

a) Nein, ich hatte Probleme, das Büro zu finden.
b) Ja, danke, ohne Probleme.

3 Wie ist das Wetter in Deutschland?

a) Wir hatten schlechtes Wetter.
b) Heute Morgen schien die Sonne.

4 Ist es Ihr erster Besuch hier?

a) Ja, ich bin zum ersten Mal hier.
b) Nein, letztes Jahr war ich zwei Wochen hier im Urlaub.

5 Wie hat es Ihnen hier gefallen?

a) Prima!
b) Ach, nicht besonders.

6 Woher kommen Sie in Deutschland?

a) Aus Hamburg.
b) Aus Regensburg in Bayern.

7 Das ist eine schöne Stadt, nicht wahr?

a) Ja, das stimmt.
b) Ja, aber nur für Touristen.

3 Welche Ausdrücke benutzt Frau Brett im Gespräch mit Herrn Becker.

Aha. / Ach so! / Sehr gut! / Ach, schade! / Das ist gut. / Na so was! / Es tut mir leid.

E Bilden Sie zu zweit mit Hilfe der Stichwörter einen Dialog.

Partner/Partnerin A	Partner/Partnerin B
Büro leicht gefunden?	Ja/kein Problem/Stadtplan
Einen guten Flug?	Schrecklich/drei Stunden Verspätung
Ach, …/ Warum?	Schlechtes Wetter
Wie/Hotel?	Sehr gut/zentrale Lage
Oft geschäftlich hier?	Ja/viele Kunden in…
Wann/das letzte Mal hier?	vor vier Wochen
Gefällt/unsere Stadt?	Ja/interessant/Leute freundlich

F Sie empfangen einen Besucher oder eine Besucherin. Er oder sie spricht Deutsch.
Partner A benutzt Datenblatt A6, S. 83.   Partner B benutzt Datenblatt B6, S. 84.

2.2 Tee oder Kaffee?

A **1** Frau Brett und Herr Becker kommen bei Norco an. Sehen Sie sich die Bilder an. Was könnte Frau Brett zu Herrn Becker sagen?

2 Hören Sie sich ihr Gespräch an. Was ist richtig? Was ist falsch? Korrigieren Sie die falschen Antworten.

Track 19

1 Herr Olson kommt in fünfzehn Minuten.
2 Frau Brett sagt: „Möchten Sie so lange hier Platz nehmen?"
3 Sie nimmt Herrn Beckers Koffer.
4 Herr Becker trinkt eine Tasse Tee mit Milch und Zucker.

B Mit Hilfe der Sprachmuster bieten Sie einem Firmenbesucher oder einer Firmenbesucherin folgende Erfrischungen an. Fragen Sie!

| einen Kaffee | eine Tasse Tee | ein Mineralwasser | eine Cola |
| einen Orangensaft | ein Glas Apfelsaft | Kekse | |

Möchten Sie einen Kaffee/Tee/eine Cola?

▼

Nein danke. Ich trinke keinen Kaffee. /
Ich habe keinen Durst.
Ja, bitte/gerne.

▼

Wie trinken Sie den Kaffee/den Tee?
Trinken Sie den Kaffee mit Milch und Zucker? / Trinken Sie den Tee mit Zitrone?

Möchten Sie etwas trinken?
Was möchten Sie trinken?

▼

Ich möchte/nehme/trinke einen Kaffee/
eine Tasse Tee/Mineralwasser.

▼

▼

Mit Milch, aber ohne Zucker. / Schwarz.

▼

So, hier ist der Kaffee/die Cola/das Mineralwasser.
Möchten Sie auch Kekse?

C Herr Becker braucht Frau Bretts Hilfe. Wie reagiert sie auf seine Bitten?

Track 20

1 Könnte ich nach Deutschland faxen?

 a) Aber selbstverständlich!
 b) Es tut mir leid, wir haben kein Fax.

2 Kann ich bitte etwas fotokopieren?

 a) Aber gerne. Ich helfe Ihnen.
 b) Das ist leider nicht möglich. Der Fotokopierer ist im Moment kaputt.

3 Darf man hier rauchen?

 a) Natürlich! Hier ist ein Aschenbecher.
 b) Das geht leider nicht. Das ist hier nicht erlaubt.

4 Wo ist die Toilette?

 a) Kommen Sie mit. Ich zeige sie Ihnen.
 b) Dort in der Ecke.

5 Könnten Sie mir Ihren neuen Prospekt zeigen?

 a) Der neue Prospekt ist leider noch nicht fertig.
 b) Einen Moment, bitte. Ich hole einen.

D Partner A: Formulieren Sie Bitten mit Hilfe der Stichwörter unten.
Partner B: Reagieren Sie auf die Bitten Ihres Partners.

1 mir etwas Papier geben?
2 nach Deutschland anrufen?
3 Wo/der Fotokopierer?
4 ein Taxi für mich rufen?

5 wo meinen Koffer abstellen?
6 ein Fax an meine Firma schicken?
7 einen Taschenrechner haben?
8 mir etwas über die Firma erzählen?

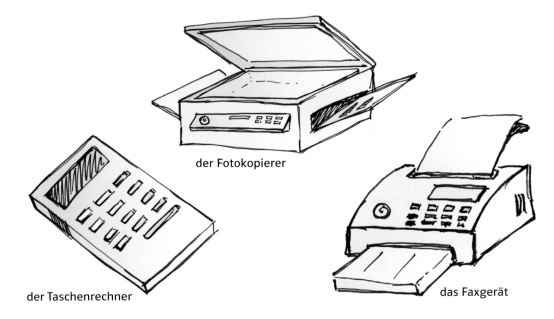

der Fotokopierer

der Taschenrechner

das Faxgerät

E Sie betreuen eine Besucherin oder einen Besucher. Er oder sie spricht Deutsch.
Partner A benutzt Datenblatt A7, S. 85. Partner B benutzt Datenblatt B7, S. 86.

Übungsbuch S. 29 – 33

2.3 Darf ich vorstellen?

A   **Erklären Sie diese Funktionsbezeichnungen in Ihrer Muttersprache.**

• Leiter Marketing •	• Exportleiter •	• Leiter Qualitätssicherung •
• Produktionsleiter •	• Leiter Finanz- und Rechnungswesen •	• Personalleiter •

B   **1**   **Frau Brett stellt Herrn Becker ihre Arbeitskollegen vor. Welche Position haben sie im Betrieb? Ordnen Sie zu.**

Track 21

1 Herr Olson	**a** technischer Leiter
2 Frau Brett	**b** Leiterin Vertrieb und Marketing
3 Frau Scheiber	**c** Werksleiter
4 Herr Doll	**d** Geschäftsführer
5 Herr Könemann	**e** Chefsekretärin

2   **Welche Stellung hat Herr Becker bei Norco?**

C   **Sie betreuen einen Firmenbesucher oder eine Firmenbesucherin. Stellen Sie ihn oder sie einigen Kollegen oder Kolleginnen vor.**
Benutzen Sie die Stellenbezeichnungen aus A und B.

Herr/Frau…, darf ich vorstellen? Das ist…
… der/unser (Geschäftsführer), Herr… / … die/unsere (Vertriebsleiterin), Frau… / … mein Chef,
Herr…. Er ist (Exportleiter) bei uns. / … meine Kollegin, Frau…. Sie ist …

Wie bitte?
Wie war der/Ihr Name (noch mal)?

▶   Sehr angenehm / erfreut. / Freut mich (sehr).
Guten Morgen / Tag.

Und das ist Herr …, unser neuer (Vertreter). / Und das ist Frau …, sie ist von der Firma …

D   **1**   **Sprechen Sie das Alphabet nach.**

Track 22

Aa   Be   tCe   De   Ee   eF   Ge   Ha   Ii   Jot   Ka   eL   eM   eN
Oo   Pe   Qu   eR   eS   Te   Uu   Vau   We   iX   Ypsilon   Zett
Ä = A Umlaut   Ö = O Umlaut   Ü = U Umlaut   ß = Eszett

2   **Buchstabieren Sie einem Partner/einer Partnerin Ihren Namen und den Namen eines Bekannten oder Familienangehörigen. Hat Ihr Partner/Ihre Partnerin die Namen richtig geschrieben?**

E Die meisten Geschäftsleute haben eine Karte, die sie bei der Vorstellung überreichen.
Lesen Sie die Visitenkarten unten. Welche Informationen finden Sie darauf?
Zum Beispiel: Name, Position im Betrieb, Beruf, ...

Präzisionswerkzeug GmbH **ABD** **Norbert Flex** Ingenieur **Projektleiter** Schlüsselstraße 19, 70193 Stuttgart Privat: Telefon (07 11) 2 26 43-o1 Stiftstraße 65 Durchwahl (07 11) 2 26 43-17 70439 Stuttgart Telefax (07 11) 2 26 43 58 Telefon (07 11) 80 49 22	**HUG** **Brigit Binder** Kauffrau Einkaufsleiterin Modewaren HUG VERSAND, Marktgasse 37, 36001 Fulda Telefon (0661) 646 12 01, Telefax (0661) 646 12 15

F **1** Arbeiten Sie zu zweit. Stellen Sie oder beantworten Sie Fragen über die Kartenbesitzer oben.

– Wie ist sein/ihr Name? / Wie heißt er/sie (mit Nachnamen)?
– Bei welcher Firma ist/arbeitet er/sie?
– Was ist seine/ihre Stellung/Position im Betrieb?
– Was ist er/sie von Beruf?
– Wo ist der Sitz der Firma? / Wie ist die Adresse der Firma?
– Was ist die/seine/ihre Telefonnummer/Büronummer/Durchwahl/Faxnummer?
– Was ist seine/ihre Privatadresse/Privatnummer?

Wenn Sie die Antwort nicht verstehen, sagen Sie z. B.:
Es tut mir leid, das habe ich nicht verstanden.
Können Sie das bitte wiederholen/langsamer sagen/buchstabieren?

2 Tauschen Sie Informationen über Mitarbeiter bei anderen Firmen aus.
Partner A benutzt Datenblatt A8, S. 85.   Partner B benutzt Datenblatt B8, S. 86.

G Informieren Sie sich über Ihre Nachbarn im Kurs. Fragen Sie z. B.:

Wie ist Ihr Name?
Woher kommen Sie?
Bei welcher Firma sind Sie?
Was ist Ihre Position?
Was sind Sie von Beruf?

Dann stellen Sie Ihre Nachbarn einander vor. Geben Sie möglichst viele Informationen über sie an.

....
....
....
....
....

2.4 Das Programm ist wie folgt ...

A **1** Frau Brett erklärt Herrn Becker das Tagesprogramm für seinen Besuch bei der Firma Norco. Wie ist das Programm organisiert? Nummerieren Sie die Punkte in der richtigen Reihenfolge. Zwei Punkte sind nicht im Programm.

Track 23

☐ a) Besuch bei einem Kunden

☐ b) Videofilm

☐ c) Produktpräsentation

☐ d) Abendessen im Restaurant

☐ e) Gespräch mit dem technischen Leiter

☐ f) Betriebsbesichtigung

☐ g) Mittagessen im Lokal

☐ h) Sitzung der Marketing-Gruppe

2 Hören Sie noch einmal zu. Welche Satzteile gehören laut Hörtext zueinander?

1 Zuerst	**a** essen wir zu Mittag im Lokal.
2 Dann um 11:00 Uhr	**b** nehmen Sie an einer Sitzung der Marketing-Gruppe teil.
3 Um 12:30 Uhr	**c** haben Sie ein Gespräch mit dem technischen Leiter.
4 Nach dem Essen	**d** findet eine Betriebsbesichtigung statt.
5 Um 15:30 Uhr	**e** gibt es Abendessen in einem Restaurant.
6 Zum Schluss	**f** sehen Sie einen kurzen Videofilm über die Firma.

B **Partner A:** Sie sind Frau Brett. Erklären Sie Herrn Becker das Programm.
Partner B: Sie sind Herr Becker. Stellen Sie Fragen über das Programm, z. B.:

Was	machen wir	zuerst?
	mache ich	um 11 Uhr?
Wann	findet die Betriebsbesichtigung statt?	
	sehen wir den Videofilm?	
Mit wem	spreche ich?	
	habe ich ein Gespräch?	
Wo essen wir	zu Mittag?	
	zu Abend?	

C   **Lesen Sie das Seminar-Programm. Beantworten Sie die Fragen.**

Die Schlanke Produktion

Programm
9:30	Anmeldung und Kaffee
9:45	Begrüßung (Dr. Jens Kovac, Handelskammer Bonn)
10:00	Lean Production, Konzepte und Lösungen (Dipl.-Ing. Udo Krämer, Nashiba Corp.)
11:00	Kaffeepause
11:15	Systemintegration – Traum oder Albtraum? (Prof. Inge Strohmeier, Technische Hochschule, Darmstadt)
12:30	Mittagessen
13:30	Videofilm: Toyota in Europa
14:00	Zertifizierte Qualitätssicherung nach ISO 9000 (Dr. Reinhold Gurgl, Deutsches Institut für Normung, Berlin)
15:00	Kaffeepause
15:15	Qualitätskreise in der Produktion – Gruppendiskussion (moderiert von Dr. Helga Walter, Henssler GmbH, Augsburg)
16:30	Die Robotik der kommenden Jahre (Dr. Joachim Stern, Humboldt Universität, Berlin)
17:15	Abschluss

1 Was ist das Thema des Seminars?
2 Wann fängt das Seminar an? Wann hört es auf?
3 Wie viele Beiträge gibt es?
4 Um wie viel Uhr spricht Prof. Strohmeier?
5 Wie lange dauert der Videofilm?
6 Um wie viel Uhr findet die Gruppendiskussion statt?
7 Wovon handelt das Referat von Udo Krämer?
8 Worüber spricht Dr. Reinhold Gurgl?
9 Von welcher Organisation ist Dr. Gurgl?
10 Wer spricht um 16:30 Uhr?

D   **Sie organisieren das Seminar. Erklären Sie einem Teilnehmer/einer Teilnehmerin das Programm mit Hilfe dieser Ausdrücke.**

Das Seminar ist über ...

Das Seminar fängt um ... an.

Die Anmeldung ist um ...

Dann folgt die Begrüßung durch ...

Danach gibt es einen Beitrag über ... von ...

Um ... Uhr spricht ... zum Thema ...

Um ... Uhr gibt es Mittagessen/eine Kaffeepause?

...

2.5 Eine Betriebsbesichtigung

A **Sehen Sie sich den Plan von Norco und die Bilder an.**
Wie heißen die Abteilungen bzw. Gebäude in Ihrer Sprache?

Vertrieb und Marketing

das Konstruktionsbüro

die Arbeitsvorbereitung

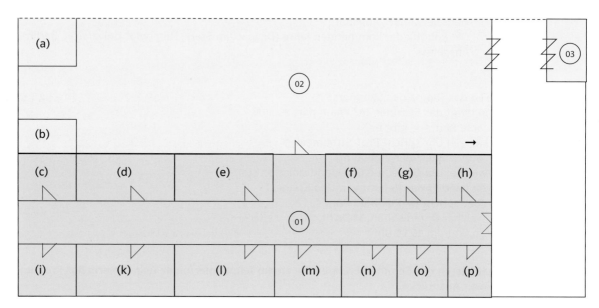

Legende
01 das Verwaltungsgebäude
02 die Fertigungshalle
03 das Lager

die Fertigungshalle

das Lager

der Wareneingang

B

1 **Frau Brett und Herr Könemann zeigen Herrn Becker die Firma Norco.**
Welche Abteilungen bzw. Gebäude besuchen sie? Folgen Sie ihnen auf dem Plan.

Track 24

(a) der Prüfraum
(b) der Werksleiter
(c) die Toiletten
(d) die Arbeitsvorbereitung
(e) der Produktionsleiter
(f) der Einkauf
(g) die Buchhaltung
(h) Vertrieb und Marketing

(i) die Küche
(k) das Konstruktionsbüro
(l) das technische Büro
(m) das Konferenzzimmer
(n) das Sekretariat
(o) die Geschäftsführung
(p) der Empfang

2 **Welche Abteilung bzw. welches Gebäude ist das?**

1 „Hier koordinieren wir die Arbeit unserer Vertreter."
2 „Hier machen wir die Kontenführung."
3 „Hier kaufen wir das Material für die Fertigung ein."
4 „Hier entwerfen wir Designs für neue Modelle."
5 „Hier planen wir die Produktion für die kommenden Wochen."
6 „Hier fertigen wir die Produkte an."
7 „Dort testen wir unsere Produkte."
8 „Dort lagern wir unsere Produkte."

C **Mit Hilfe der Sprachmuster und der Sätze in B führen Sie eine Besucherin bzw. einen Besucher durch die Firma Norco.**

Hier/Das ist der Empfang/die Einkaufsabteilung/das Büro (des Geschäftsführers).
Hier nebenan/Daneben/Gegenüber ist der Einkauf/die Buchhaltung/das Konferenzzimmer.
Hier/Dort (rechts/links)/Da drüben (in der Ecke) sehen Sie …
… den Prüfraum/die Küche/das Konstruktionsbüro.
Jetzt gehen wir rechts/links/durch diese Tür in die Fertigungshalle.

▼

(Das ist aber) sehr schön/nett/imposant/beeindruckend/modern/interessant.
Was für eine Abteilung/ein Zimmer/ein Gebäude ist das?
Was macht man hier/dort?

▼

So, das wäre dann alles. Gehen wir zurück in das Verwaltungsgebäude/mein Büro?

D **Stellen und beantworten Sie Fragen über diese Abteilung mit Hilfe der Stichwörter unter den Bildern.**
Was für eine Abteilung ist das? Was macht man hier?

der Kundendienst   die Personalabteilung   der Versand   das Ausbildungszentrum

1 Waren / verpacken und ausliefern

2 Reparaturen / für die Kunden / ausführen

3 Lehrlinge / ausbilden

4 neue Mitarbeiter / einstellen

Zum Lesen

Business-Knigge: Verhaltensregeln in geschäftlichen Situationen

Wer im Geschäftsleben weiterkommen möchte, dem wird schnell bewusst: Gutes Fachwissen reicht nicht mehr aus. Wer mehr erreichen möchte, benötigt darüber hinaus soziale Kompetenzen, einen angemessenen Kleidungsstil und nicht zuletzt perfekte Umgangsformen. Doch welche sind die korrekten Umgangsformen im Geschäftsalltag? Für den ersten Eindruck im Geschäfts- und Privatleben gibt es kaum eine zweite Chance. Der Erfolg hängt maßgeblich davon ab, wie Menschen sich in vielfältigen Alltagssituationen verhalten. Gute Umgangsformen der Mitarbeiter sind die Visitenkarte eines Unternehmens und unverzichtbar für dessen guten Ruf. Und das beginnt schon beim Empfang eines Kunden! Im Folgenden erhalten Sie einen kleinen Überblick über elementare Verhaltensregeln im beruflichen Alltag.

1. Man stellt sich mit dem Nachnamen bzw. mit Vornamen und Nachnamen vor.

2. Geschäftspartner, die sich nicht sehr gut kennen, sagen meistens „Sie" zueinander und reden sich mit „Herr …" oder „Frau …" an. Wenn man sich schon länger kennt, wechselt man manchmal zum „Du".

3. Bei der Begrüßung und Verabschiedung gibt man sich die Hand. Geben Sie Ihrem Gegenüber fest die Hand. Das drückt Selbstvertrauen, Offenheit, Herzlichkeit und Aufrichtigkeit aus.

4. Wenn man einen Besuch in einer Firma plant, muss man einen Termin vereinbaren und diesen dann auch bestätigen. Pünktlichkeit ist sehr wichtig.

5. Man lässt seinen Besuch nicht einfach im Flur stehen, sondern ist ihm beim Ablegen der Garderobe behilflich und führt ihn in die Räumlichkeiten hinein. Solches Benehmen gilt nicht als veraltet und unangemessen, sondern zeugt von guten Manieren und erleichtert dem Besucher den ersten Schritt in einer ungewohnten Umgebung. Gutes Benehmen beginnt schon an der Tür!

6. Im Büro bietet man dem Besucher oder der Besucherin Erfrischungen an, aber keinen Alkohol.

7. In einer Geschäftsbesprechung kommt man schnell zum wichtigen Punkt. Es ist nicht üblich, lang Konversation zu machen.

8. In eine andere Richtung zu sehen, wenn jemand mit Ihnen spricht, sollten Sie auf jeden Fall vermeiden! Aufmerksamkeit ist eines der größten Komplimente, das Sie einer Person machen können. Zeigen Sie daher Interesse durch Blickkontakt.

9. Privat- und Geschäftsleben werden meistens klar getrennt. Es ist hierzulande nicht üblich, Kunden zu sich nach Hause einzuladen (im Unterschied etwa zu den angelsächsischen Ländern).

10. Das Restaurant wählt derjenige, der zum Essen einlädt oder das Essen vorgeschlagen hat. Er oder sie übernimmt auch die Rechnung. Das Handy bleibt am Esstisch ausgeschaltet!

11. Der Geschäftsgast wählt zum Essen nur einen Hauptgang – und zwar einen in der mittleren Preiskategorie. Falls der Gastgeber aber darauf drängt, doch eine Vorspeise zu nehmen, weil er selber eine wünscht, kann man ebenfalls eine bestellen.

12. Natürlich kann man beim Geschäftsessen auch über das Geschäft sprechen und nicht nur Smalltalk betreiben, d. h. über Freizeit, Familie usw. reden.

Übungsbuch S. 43

Kapitel 3
Sich kennen lernen

Lernziele

In diesem Kapitel lernen und üben Sie:
- Eine Einladung auszusprechen, anzunehmen oder abzulehnen, ein Restaurant zu empfehlen
- Ein Gericht von der Speisekarte auszuwählen, es zu bestellen und dafür zu bezahlen
- Sich über die Familie und das Zuhause zu unterhalten
- Sich über Freizeitinteressen zu unterhalten
- Urlaubserfahrungen auszutauschen

3.1 Darf ich Sie einladen?

A **1** Einladungen zum Essen spielen eine wichtige Rolle im Geschäftsleben. Geschäftsfreunde lädt man meistens zum Essen ins Restaurant ein. Es ist natürlich wichtig, ein passendes Restaurant zu wählen. Lesen Sie die Anzeigen unten.

1 Welche Spezialitäten bieten diese Restaurants an?
2 Was bieten diese Restaurants sonst noch an (z. B. Atmosphäre, Unterhaltung, …)?
3 Wann sind sie geschlossen?
4 Wie lange sind sie geöffnet?
5 Wie kann man reservieren?

2 In welches Restaurant würden Sie einen wichtigen Kunden zum Essen einladen? Warum?

RESTAURANTS

Café, Restaurant

Burg
Regionale Küche

Bergstraße 111, Tel. +41 (0)33 438 25 26/16
3613 Steffisburg

Täglich 3 Menüs zur Auswahl, davon
ein vegetarisches Menü
Diverse kleine Gerichte nach Tagesangebot
Buffets für Gruppen auf Anfrage

Öffnungszeiten: Di-Sa 09:00-17:00 Uhr
　　　　　　　　So　　11:00-17:00 Uhr
　　　　　　　　Mo　　Ruhetag
gepflegte Räumlichkeiten für ca. 70 Personen
Terrasse – Parkplätze

König****
Internationale Küche
Bahnhofplatz
3600 Thun
Tel. +41 (0)33 224 18 18
info@könig-thun.ch

Öffnungszeiten: täglich von 09:00-24:00 Uhr
Gemütliche Atmosphäre

Hotel – Restaurant – Seminar/Bankett – Terrasse

Lotus
Chinesisches Restaurant
Spezialitäten
asiatische Buffets

Nichtraucherrestaurant, für Gruppen geeignet

tägl. geöffnet v. 11:30-15:00 Uhr u. 17:30-24:00 Uhr
Sa., So. und feiertags geöffnet

Hofstettenstraße 32 (Nähe Bushaltestelle) – 3600 Thun
Tel. +41 (0)33 224 61 35

Italienisches Restaurant

DEI Medici

Lassen Sie sich verwöhnen!
Romantische Atmosphäre, Klavierunterhaltung,
Blick auf den See

Wir bieten:
Verschiedene Vorspeisen, hausgemachte Nudeln,
Nudelgerichte, Fleisch- u. Fischspezialitäten

Öffnungszeiten:
Mo.–So. 18:00–01:00 Uhr
Mittagstisch mit Menüwahl
Mo.–Fr. 12:00–14:30 Uhr

Ziegelweg 33, 3600 Thun
Tel. +41 (0)33 221 15 88
RESERVIERUNG ERBETEN

B

Track 25

Manfred Weber aus Frankfurt besucht den Hauptsitz der Firma Bühler in Thun. Der Exportleiter der Firma, Herr Salzmann, lädt Herrn Weber zum Abendessen ein. Hören Sie sich das Gespräch an und beantworten Sie die Fragen.

1 Für wann ist die Einladung?
2 Welche von den Restaurants auf S. 32 empfiehlt Herr Salzmann?
3 Für welches Restaurant entscheiden sie sich? Warum?
4 Um wie viel Uhr wollen sie sich treffen? Wo?

C

Sammeln Sie Anzeigen von Restaurants in Ihrer Stadt, in die Sie einen Geschäftspartner zum Essen einladen könnten. Bilden Sie dann einen Dialog mit Hilfe der Sprachmuster unten: Laden Sie den Besucher oder die Besucherin zum Essen ein und wählen Sie gemeinsam ein Restaurant.

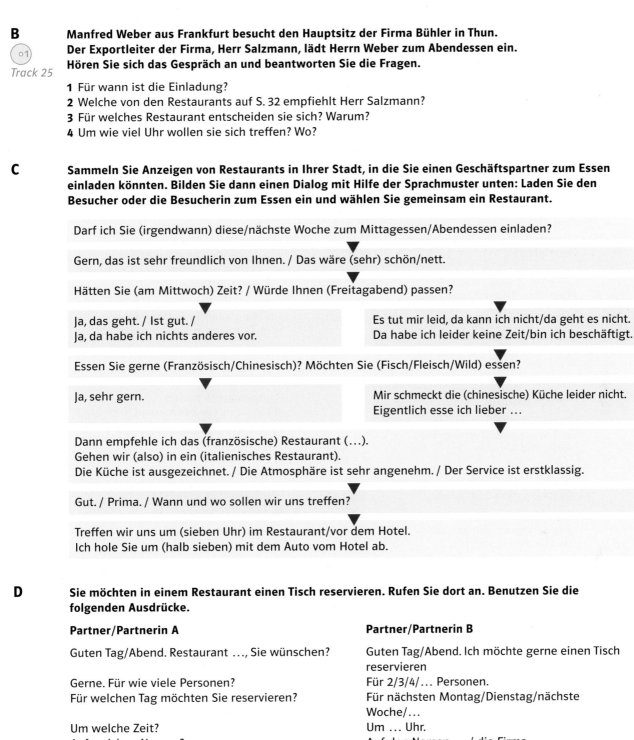

Darf ich Sie (irgendwann) diese/nächste Woche zum Mittagessen/Abendessen einladen?

Gern, das ist sehr freundlich von Ihnen. / Das wäre (sehr) schön/nett.

Hätten Sie (am Mittwoch) Zeit? / Würde Ihnen (Freitagabend) passen?

Ja, das geht. / Ist gut. /
Ja, da habe ich nichts anderes vor.

Es tut mir leid, da kann ich nicht/da geht es nicht.
Da habe ich leider keine Zeit/bin ich beschäftigt.

Essen Sie gerne (Französisch/Chinesisch)? Möchten Sie (Fisch/Fleisch/Wild) essen?

Ja, sehr gern.

Mir schmeckt die (chinesische) Küche leider nicht.
Eigentlich esse ich lieber …

Dann empfehle ich das (französische) Restaurant (…).
Gehen wir (also) in ein (italienisches Restaurant).
Die Küche ist ausgezeichnet. / Die Atmosphäre ist sehr angenehm. / Der Service ist erstklassig.

Gut. / Prima. / Wann und wo sollen wir uns treffen?

Treffen wir uns um (sieben Uhr) im Restaurant/vor dem Hotel.
Ich hole Sie um (halb sieben) mit dem Auto vom Hotel ab.

D

Sie möchten in einem Restaurant einen Tisch reservieren. Rufen Sie dort an. Benutzen Sie die folgenden Ausdrücke.

Partner/Partnerin A

Guten Tag/Abend. Restaurant …, Sie wünschen?

Gerne. Für wie viele Personen?
Für welchen Tag möchten Sie reservieren?

Um welche Zeit?
Auf welchen Namen?
Gerne, Herr/Frau …. Ihre Reservierung ist notiert.

Partner/Partnerin B

Guten Tag/Abend. Ich möchte gerne einen Tisch reservieren
Für 2/3/4/… Personen.
Für nächsten Montag/Dienstag/nächste Woche/…
Um … Uhr.
Auf den Namen … / die Firma …
Vielen Dank, auf Wiederhören.

3.2 Guten Appetit!

A **1** Lesen Sie die Speisekarte. Welche Gerichte kennen Sie?

König**** Restaurant

Speisekarte

Vorspeisen	CHF	Fischgerichte	CHF
Bunter Salat mit Schinken, Pilzen und Cherrytomaten an einer feinen Kräutervinaigrette	12.00	Gebratenes Zanderfilet mit roter Peperonisauce, Wildreis und Gemüse	32.00
Gemischter Salat	7.00	Pochiertes Lachsforellenfilet mit Safranschaum, Weißweinrisotto und Broccoliröschen	32.00
Garnelen in Chili-Sauce	20.50	Forelle Müllerinnenart mit Mandelbutter, Salzkartoffeln oder Reis, kleines Gemüsebouquet	32.00
Tagessuppe	7.00		
Carpaccio vom Rind mit Pinienkernen, Rucola und Parmesan	22.00		

		Vegetarisch	
Fleischgerichte		Hausgemachte Nudeln mit Waldpilzrahmsauce und Kräutern	24.00
Berner Kalbsgeschnetzeltes mit Speck und Champignons, Rösti und Gemüse	34.00	Risotto mit Gemüse der Saison und frischem Thymian	25.00
Argentinisches Rumpsteak mit hausgemachter Kräuterbutter, Bratkartoffeln und Bohnen	34.00	**Hausgemachte Desserts**	
Schweinsfiletmedaillons mit Senfsauce, Butternudeln und Broccoliröschen	32.50	Mousse au chocolat	8.50
		Apfelstrudel mit warmer Vanillesauce	12.00
		Eis (Vanille, Mokka, Himbeere, Brombeere, Erdbeere, Banane, Mango) / 1 Kugel	2.50

Getränke

Aperitifs	CHF	Flaschenweine	CHF
Campari, Martini, Cynar, Pastis	6.50	Bitte verlangen Sie unsere Weinkarte	
Offene Weißweine		**Alkoholfreie Getränke**	
Grauburgunder 0,2l	7.80	Säfte, Cola, Fanta, Eistee	4.50
Riesling 0,2l	7.50	Mineralwasser (mit u. ohne Kohlensäure)	4.50
Offene Rotweine		**Warme Getränke**	
La Côte 0,2l	6.50	Kaffee, Espresso, Tee	3.50
Merlot 0,2l	7.00	Milchkaffe	3.90
		Cappuccino	4.50

2 Was würden Sie von der Speisekarte bestellen? Was würden Sie dazu trinken? Was würden Sie nicht bestellen? Warum nicht?

B

Track 26

**Herr Salzmann und sein Gast, Herr Weber, sind im Restaurant „König".
Was bestellen sie? Hören Sie sich das Gespräch an und nehmen Sie die Bestellung auf.**

Herr Salzmann: ....

....

....

Herr Weber: ....

....

....

C

Sie essen mit einem Geschäftsfreund im Restaurant „König". Sprechen Sie über die Gerichte auf der Speisekarte und bestellen Sie beim Kellner. Der Kellner nimmt die Bestellung auf.

Was nehmen Sie als Vorspeise/Hauptgericht? Was trinken Sie/wir dazu? (Wein oder Bier?)	▶ Ich nehme/möchte/probiere … Können Sie (mir/uns) etwas/eine Vorspeise empfehlen?
Der/Die/Das … schmeckt sehr gut/lecker. Ich empfehle Ihnen den/die/das … Das ist eine Spezialität des Hauses/ Spezialität der Gegend.	▶ Nein, so was mag ich nicht gern. Das ist mir zu schwer/scharf/fett. Da nehme ich lieber etwas anderes/Warmes/Kaltes.
Herr Ober/Bedienung, wir möchten bestellen.	▶ Bitte schön, was bekommen Sie?

▼

Einmal/Zweimal (Hacksteak) und (ein Bier) dazu. / (Für mich) Einen Salat/eine Suppe bitte.
Zu trinken nehmen wir/hätten wir gern …

D

Track 27

**Nach der Hauptspeise kommt der Kellner wieder.
Wie beantwortet Herr Salzmann seine Fragen?**

1 Hat es Ihnen geschmeckt?
a) Ja, es hat sehr gut geschmeckt.
b) Schon gut, aber das Entrecôte war etwas zäh.

2 Möchten Sie noch etwas bestellen?
a) Nein danke, ich bin satt. Kann ich zahlen, bitte?
b) Ich nehme noch einen Apfelstrudel.

3 Geht die Rechnung zusammen oder getrennt?
a) Getrennt, bitte.
b) Alles zusammen, bitte.

4 So, die Rechnung, bitte schön.
a) So, stimmt so.
b) Ich glaube, die Rechnung stimmt nicht.

Restaurant König ****

RECHNUNG
03.04.20..

2x gemischter Salat	7.00	14.00
1x Schweinsfiletmedaillons	32.50	32.50
2x Lachsforellenfilet	32.00	64.00
1x Apfelstrudel	12.00	12.00
1dl La Côte	6.50	6.50
2x Mineralwasser	4.50	9.00
2x Campari	6.50	13.00
1x Orangensaft	4.50	4.50
2x Espresso	3.50	7.00
Total	CHF	162.50

Inkl. 7,6 % MwSt. EUR 11.48

Wir danken für Ihren Besuch.

Im Gesamtbetrag sind Bedienung sowie die gesetzliche Mehrwertsteuer inbegriffen.

Überprüfen Sie die Rechnung. Was stimmt nicht? Reklamieren Sie beim Ober.

E

Beantworten Sie die folgenden Fragen anhand der Rechnung.

1 Sind Bedienung und Mehrwertsteuer im Preis inbegriffen?
2 Wie hoch ist die Mehrwertsteuer?

Übungsbuch S. 51–56

3.3 Wohnung und Familie

A **1** Herr Weber wohnt in Frankfurt am Main in Deutschland.
Herr Salzmann wohnt in Thun in der Schweiz.
Was für Städte sind das?
Wie wohnt man Ihrer Meinung nach dort?
Antworten Sie mit Hilfe der Ausdrücke unten.

Das ist eine Großstadt/mittelgroße Stadt/Kleinstadt/ein Dorf.
Das ist eine Industriestadt/ein Handelszentrum/Finanzzentrum/eine historische Stadt.
Die Stadt ist bekannt/berühmt für ihre Verbindungen mit (Goethe)/ihre Wolkenkratzer.
Die Stadt ist/Einige Stadtteile sind (sehr/ganz) schön/sauber/schmutzig/heruntergekommen.
Es gibt eine schöne Altstadt/viele/wenige architektonisch interessante Gebäude/Sehenswürdigkeiten/
Grünflächen.
Das kulturelle Angebot/Das Freizeitangebot ist groß/klein.
Die Verkehrsverbindungen sind/Das Straßennetz ist sehr/relativ gut/schlecht.
Das Leben ist (sehr/ziemlich) teuer/billig/hektisch/ruhig. Es gibt viel/wenig Stress.
Es gibt viel/wenig Verkehr. Die Umweltverschmutzung ist ein großes Problem/ist kein Problem.

2 Beschreiben Sie Ihre eigene Stadt.

B **1** Lesen Sie die Fragen und Antworten. Welche Antworten treffen auf Sie zu?

Wo wohnen Sie?
– In der Nähe des Stadtzentrums / In der Altstadt
– Am Stadtrand / Außerhalb der Stadt / In einem
  Dorf

Wie wohnt man dort?
– Es ist sehr schön dort/relativ ruhig.
– Es ist direkt am Park/fast im Grünen.
– Es ist nicht weit zum Bus/zur U-Bahn.
– Es gibt gute Einkaufsmöglichkeiten/Schulen.

Wie kommen Sie zur Arbeit?
– Mit dem Auto/Bus/Fahrrad/Zug
– Mit der U-Bahn/S-Bahn / Zu Fuß

Wie wohnen Sie?
– In einer Wohnung/Doppelhaushälfte
– In einem Einfamilienhaus/Reihenhaus

Gehört die Wohnung/das Haus Ihnen?
– Ja, es ist eine Eigentumswohnung. / Das Haus
  gehört mir.
– Nein, es ist eine Mietwohnung/ein Mietshaus.

Wie groß ist Ihre Wohnung/Ihr Haus?
– Relativ klein/mittelgroß/groß / Ungefähr
  80/120/150 m² / Wir haben 3/4/5 Zimmer.

2 Welche Antworten treffen auf Herrn Weber und Herrn Salzmann zu? Hören Sie zu und markieren Sie die
Lösungen in Übung 1 mit W oder S.

Track 28

C **1** Ein Bekannter von Herrn Salzmann zieht aus beruflichen Gründen für 2 Jahre nach Frankfurt. Er sucht eine 4-Zimmer-Wohnung für seine ganze Familie.

Modernes Komfort-**Reihenhaus** in familienfreundlicher Lage, **FFM Nieder-Eschbach**,

ca. **146 m² Wfl.**, **5 Zimmer**, 2 TGL-Bäder, **EBK**, Laminat, **Hobbyraum**, Keller, Waschküche, **Terrasse** u. **Garage**.

KM € 1650,- zzgl. NK/Kt und Provision. Frei nach Absprache.

Falkenstein und Söhne Immobilien, Tel. 069.924587, www.falkensteinimmob.de

Abkürzungen:
EBK = Einbauküche
NK = Nebenkosten
Kt. = Kaution
KM = Kaltmiete
TG = Tiefgarage
Wfl. = Wohnfläche
EG = Erdgeschoss
OG = Obergeschoss
MM = Monatsmiete
WM = Warmmiete
m² / qm = Quadratmeter
zzgl. = zuzüglich

Schöner als im Dichterviertel können Sie in Frankfurt kaum wohnen!

4-Zimmer-Wohnung mit Garten

Diese mitten im beliebten Frankfurter Dichterviertel gelegene Wohnung befindet sich im 2. OG eines kleinen und sehr gepflegten Dreifamilienhauses.

Vier helle Zimmer, eine große Küche mit EBK sowie ein Bad mit Tageslicht und eine separate Toilette. Hochwertige Ausstattung mit Echtholz-Parkett und Fußbodenheizung.

KM 1450,- Euro + NK, 2 MM Kt., Provision 2,38 % MM. Ab sofort. Auf Wunsch kann Platz in der TG für monatl. 135,00 € mit angemietet werden.

Immobilien Schäfer, Telefon 069/65 78 4, Objektnummer 577.A-2

2 Diskutieren Sie mit Ihrer Partnerin/Ihrem Partner über beide Anzeigen. Welche würden Sie anstelle des Bekannten wählen? Warum? Welche Vorteile und Nachteile gibt es? Begründen Sie.

3 Beschreiben Sie mit Hilfe der Immobilienanzeigen und der Ausdrücke in A und B Ihr eigenes Haus/Ihre eigene Wohnung unter folgenden Gesichtspunkten:
Haus-/Wohnungstyp, Lage/Wohnqualität, Wohnfläche/Zahl der Zimmer, Ausstattung

D Herr Salzmann und Herr Weber reden über ihre Familien. Welche Aussagen treffen zu? Unterstreichen Sie die richtigen Antworten.

Track 29
1 Herr Weber hat zwei Töchter/einen Sohn und eine Tochter/keine Kinder.
2 Seine Frau ist Hausfrau/berufstätig.
3 Der Sohn von Herrn Salzmann ist 10 Jahre alt/wird bald 18.
4 Er geht noch zur Schule/lernt Industriemechaniker/studiert an der Universität.
5 Herr Salzmann hat zwei Schwestern/eine Schwester und einen Bruder/keine Geschwister.
6 Sein Schwager arbeitet bei Bühler/ist im Moment arbeitslos.
7 Sein Neffe ist der Sohn von seinem Bruder/von seiner Schwester.
8 Herr Salzmann ist ledig/verheiratet/geschieden/verwitwet.

E **Ein Kollege/eine Kollegin sucht eine Wohnung in der Nähe Ihres Wohnortes. Helfen Sie ihm/ihr.**
Partner A benutzt Datenblatt A9, S. 87
Partner B benutzt Datenblatt B9, S. 88

3.4 Was machen Sie in Ihrer Freizeit?

A **1** Wenn man sich mit Geschäftsfreunden unterhält, ist die Freizeit immer ein gutes Gesprächsthema. Was machen Sie gern in Ihrer Freizeit? Welche Freizeitaktivitäten üben Sie niemals aus? Warum?

2 Sehen Sie oft fern? Wie viele Arten von Fernsehsendungen können Sie nennen? Z. B.: Sportsendungen, Spielfilme, die Nachrichten, ...

3 Welche Sportarten üben Sie aus? Warum? Welche anderen Sportarten können Sie nennen? Z. B.: Ski fahren, joggen, wandern, ...

4 Fernsehen, telefonieren, Radio hören, Zeitung lesen, sich mit Freunden treffen gehören zu den häufigsten Freizeitaktivitäten der Deutschen. Aber welches sind die Freizeitbeschäftigungen, die die Deutschen niemals ausüben? Kommentieren Sie die folgende Statistik.

Die „Schwarze Liste" der Freizeitaktivitäten Was die meisten Deutschen niemals tun			
Von je 100 Befragten üben in ihrer Freizeit <u>niemals</u> aus:			
Golf spielen	92 %	Jogging	68 %
Spielhalle besuchen	86 %	Stammtisch besuchen	66 %
Musik machen/musizieren	78 %	Handarbeiten	62 %
Sich in einer Bürgerinitiative engagieren	75 %	Ehrenamtliche Aufgaben übernehmen	62 %
Camping/Caravaning	75 %	Rock-/Pop-/Jazzkonzerte besuchen	61 %
Fitness-Studio besuchen	75 %	Onlineshopping	59 %
Videospiel spielen	74 %	Wellnessangebote nutzen	54 %
Repräsentativbefragung von 3 000 Personen ab 14 Jahren in Deutschland		STIFTUNG FÜR ZUKUNFTSFRAGEN nach Quelle: www.stiftungfuerzukunftsfragen.de	

5 Suchen Sie im Internet eine ähnliche Statistik für Ihr Land und vergleichen Sie.

B **1** Herr Salzmann und Herr Weber sprechen über ihre Freizeitinteressen. Welche Fragen stellen sie? Kreuzen Sie an.

○1

Track 30

a) Was machen Sie in Ihrer Freizeit?
b) Interessieren Sie sich für Musik oder Theater?
c) Gehen Sie gern ins Kino?
d) Was für Filme sehen Sie gern?
f) Haben Sie in letzter Zeit einen guten Film gesehen?
g) Sehen Sie viel fern?
h) Was für Sendungen sehen Sie gern?
i) Treiben Sie Sport?
j) Sind Sie sportlich aktiv?
k) Was für Sportarten treiben Sie?

l) Sind Sie Mitglied in einem Sportverein?
m) Wie oft treffen Sie sich?
n) Wie oft joggen Sie?
o) Haben Sie noch andere Hobbys?

p) Lesen Sie gern?
r) Welche Bücher lesen Sie am liebsten?
s) Wer sind Ihre Lieblingsautoren?

2 Hören Sie das Gespräch noch einmal an. Welche Antworten geben Herr Salzmann und Herr Weber? Notieren Sie.

Salzmann: .... Weber: ....

C **1 Lesen Sie zuerst den Text und sehen Sie sich dann die Statistik an.**

Lebenshaltungskosten

2005 hatte ein durchschnittlicher Haushalt (d. h. eine Familie mit vier Personen – zwei Erwachsenen und zwei Kindern) ein Einkommen von 3 024 Euro nach Abzug von Steuern und Sozialabgaben. Davon waren 2 550 Euro für den laufenden Bedarf, gespart wurden 474 Euro. Die Preise sind aber in den letzten Jahren ständig gestiegen, so dass man immer weniger Waren für das gleiche Geld bekommt. Im Laufe der letzten 10 Jahre sind die Nahrungsmittel und Getränke um 6 % gestiegen, die Tabakwaren sind um 69 % teurer geworden, die Preise für Freizeit, Unterhaltung und Kultur haben sich um 14 % erhöht. Entgegen dem allgemeinen Trend sind die Preise für Telefon, Handy und Internet um deutlich 30 % gefallen. Die monatlichen Freizeitausgaben betrugen circa 18 % des Einkommens.

Freizeit-Ausgaben: Trends
– Der Anteil der Freizeitausgaben an den Lebenshaltungskosten wird weiter wachsen, obgleich mit einer flacheren Kurve
– Man wird das Geld für die Freizeit kritischer ausgeben, d. h., man wird sich weniger, aber dafür teurere Freizeitwünsche erfüllen.
– Es wird eine Gruppe von Menschen geben, die sich viele Freizeitangebote und -produkte nicht mehr leisten kann.
– Der Anteil an Senioren unter den Reisenden wird zunehmen.
Wie werden sich die Preise in Zukunft entwickeln? In den nächsten 30 Jahren werden die Preise um circa 75 % steigen.

Lebenshaltungskosten: Prognose (in Euro)

	2005		2025	
1. Nahrungsmittel und alkoholfreie Getränke	339	13 %	385	10 %
2. Alkohol und Tabakwaren	62	2 %	134	4 %
3. Bekleidung und Schuhe	131	5 %	131	4 %
4. Wohnung, Wasser, Strom, Gas	800	31 %	1 212	34 %
5. Haushaltsausstattung und -geräte	144	6 %	156	4 %
6. Gesundheitspflege	57	2 %	120	3 %
7. Verkehr	405	16 %	717	20 %
8. Nachrichtenübermittlung (Tel., Internet, …)	82	3 %	48	2 %
9. Freizeit, Unterhaltung und Kultur	272	11 %	292	8 %
10. Bildung	40	2 %	78	2 %
11. Restaurants	103	4 %	139	4 %
12. Andere Waren und Dienstleistungen	115	5 %	159	5 %
Insgesamt	**2 550**		**3 571**	

nach www.ruv.de   (Inflationsrate: 2 % pro Jahr)

2 Was sind Ihrer Meinung nach die Gründe für die Trends bei den Freizeit-Ausgaben? Z. B.:

Die Zahl der Arbeitslosen/Teilzeitarbeiter wird steigen und …
Mehr Leute werden einen Nebenberuf haben, weil …
Die Lebenskosten/Steuern werden steigen, deshalb …
Die Kaufkraft wird stagnieren/sinken, weil …

3 Kommentieren Sie die Statistik.

Die Statistik zeigt …/gibt Informationen über …
Laut der Statistik wird … steigen/sinken.
Der Prozentsatz wird aber …

4 Was ist Ihr Freizeitbudget? Vergleichen Sie Ihr Freizeitbudget mit dem Ihres Partners oder Ihrer Partnerin. Geben Sie zu viel aus? Wie könnten Sie Ihre Ausgaben senken?

3.5 Wo waren Sie im Urlaub?

A **1** Das Hauptreiseland der Deutschen ist Deutschland. Einige beliebte Reiseziele sind z. B. Bayern, das Moselgebiet, Schleswig-Holstein und Thüringen. Wo liegen diese Orte? Kennen Sie diese Gegenden? Suchen Sie Informationen im Internet.

2 Österreich und die Schweiz sind auch beliebte Ferienländer. Können Sie einige Reiseziele dort nennen?

B **1** Welches sind die beliebtesten Ferienorte in Ihrem Land? Warum sind sie beliebt?

2 Informieren Sie sich über Davos in der Schweiz. Lesen Sie den Text aus einem Reiseprospekt.

1 Wo liegt dieser Ferienort?   **3** Was kann man dort machen?
2 Was für ein Ort ist das?   **4** Wo kann man dort wohnen?

Davos Tourismus
Talstrasse 41 CH-7270 Davos Platz
Telefon: +41 (0)81 415 21 21
Telefax: +41 (0)81 415 21 00
E-Mail: info@davos.ch Web: www.davos.ch

Ein Paradies für Schneesportler

Davos, Europas höchstgelegene Stadt (1560 ü. M.), mit bunt gemischtem Publikum, und Klosters, der schmucke Klimakurort im Kanton Graubünden mit Walserhäusern vor beeindruckender Bergkulisse vereinen sich zu einer Schneesportregion der absoluten Superlative im gesamten Alpenraum. Auf 5 Bergen erschließen sich 5 Skigebiete mit vielseitigen Pisten, modernen Transportanlagen, beleuchteten Schlittelbahnen und Skipisten. Sämtliche Skigebiete verfügen über Funparks für Snowboarder und Freeskier. Die Region Davos-Klosters ist bekannt als Freeridegebiet. Doch Vorsicht! Wer abseits der markierten Pisten unterwegs ist, begibt sich in lawinengefährdetes Gelände.
Die schneesicheren Wintersportgebiete liegen zwischen 1565 und 2844 m.ü.M. und bieten über 300 km präparierte Pisten aller Schwierigkeitsgrade. Auf dem **Jakobshorn** sind nicht nur die Pisten und Anlagen Weltklasse. Die endlosen Pulverhänge und der perfekt geshapte Funpark machen die **Pischa** zum wahren Freeride- und Freestyle-Tipp. Die **Parsenn**, mit dem 2844 Meter hohen Weißfluhgipfel, ist unter den Davoser Skigebieten der absolute Klassiker. Hier findet man einige der schönsten und längsten Abfahrten der ganzen Alpenregion. Besonders beliebt ist die 12 km lange Abfahrt nach Küblis. Von dort geht es dann mit der Eisenbahn zurück nach Klosters oder Davos. Und zu guter Letzt der „Familienberg" von Klosters, das kleinere Skigebiet **Madrisa**, mit vorwiegend sanften Hängen, bestens für Kinder und Anfänger geeignet. Neben sehr kinderfreundlichen Tarifen bieten die Davos-Klosters Mountains kindergerechte Anlagen.

Abseits der Pisten
Genießen Sie die herrliche Aussicht, wandern Sie auf über 20 km präparierten Winterwanderwegen der Davos-Klosters Mountains und lassen Sie sich auf einer der zahlreichen Sonnenterrassen verwöhnen! Die auf der Panoramakarte eingezeichneten Wanderwege sind markiert, und die Ausgangspunkte liegen jeweils bei der Bergstation einer Bahn.

Die Höhenlage bietet allgemein Gewähr dafür, dass die Wanderwege über der Nebelgrenze liegen. Lassen Sie sich aus der Höhe von der Schönheit der Region verzaubern und genießen Sie während eines Flugs mit dem Gleitschirm die verschneite Winterlandschaft. Fragen Sie nach den Spezialpreisen oder buchen Sie einen der Taxiflüge, welche durch örtliche Flugspezialisten angeboten werden. Startplätze für Delta- und Gleitschirmflieger finden Sie auf dem Jakobshorn oder Parsenn Davos Klosters.

Nachtskilauf und Abendaktivitäten
Die beleuchtete Piste beim Rapid-Sessellift auf der Parsenn bietet Ski- und Snowboardfahrern jeden Freitagabend ein nächtliches Fahrvergnügen. Wer es gemütlicher mag, lässt sich im Restaurant Höhenweg verwöhnen. Reservierung unter +41 (0)81 417 67 44. Ab ca. Mitte Dezember bis ca. Mitte März, jeweils von 19:00 bis 23:00 Uhr.
Die zauberhaft beleuchtete Nachtschlittelbahn am Rinerhorn erstreckt sich auf 3,5 km. Jeweils am Freitagabend bietet sich Ihnen zusätzlich die Gelegenheit, im Bergrestaurant ein romantisches Candlelight-Dinner mit Fondue oder Raclette zu genießen. Wer es gerne lustig und ausgelassen hat, trifft sich mittwochs zum geselligen Hüttenabend mit selbst geschöpften Spaghetti. Eine Reservierung ist empfehlenswert: +41 (0)81 401 12 55. Januar bis März, jeweils 19 bis 23 Uhr.

Attraktives Sommerangebot
Doch auch im Sommer hat Davos einiges zu bieten! Hier finden Sie alles, um unvergessliche Ferien zu verbringen: mehr als 700 km Wanderwege, wunderschöne Seitentäler zum Mountainbiken oder Walken, modernste Sportanlagen, zahlreiche Museen, den Davosersee, einen 18-Loch-Golfplatz, Discotheken und vieles mehr. Ob Jung oder Alt – Davos hält für alle etwas bereit. Mit seinen 22 000 Gästebetten in Hotels, Pensionen, Ferienwohnungen und Chalets ist Davos einer der größten Ferienorte der Alpen!

3 Würden Sie diesen Ferienort wählen? Warum? Warum nicht? Sprechen Sie mit Ihrem Partner oder Ihrer Partnerin darüber.

C

Track 31

Herr Weber erzählt Herrn Salzmann von seinem letzten Urlaub, den er in Davos verbracht hat. Hören Sie das Gespräch. Welche der folgenden Aussagen sind richtig, welche falsch? Korrigieren Sie die falschen Aussagen.

1 Herr Weber und seine Familie haben zwei Wochen in Davos verbracht.
2 Es hat ihnen sehr gut gefallen.
3 Sie haben eine Ferienwohnung gemietet.
4 Herr und Frau Weber sind zum ersten Mal mit Schneeschuhen gelaufen.
5 Herr Webers Sohn ist ein sehr guter Skifahrer.
6 Herr Weber ist fast jeden Tag Ski gefahren.
7 Während der Ferien hat es oft geschneit.
8 Familie Weber möchte noch einmal in Davos Urlaub machen.

D 1 Herr Weber (W) fragt Herrn Salzmann (S) nach seinem letzten Urlaub. Ergänzen Sie die Verben im Perfekt mit der richtigen Form von „haben" oder „sein". Lesen Sie dann den Dialog mit Ihrem Partner bzw. Ihrer Partnerin und vergleichen Sie Ihre Antworten.

W: Wo waren Sie letztes Jahr im Urlaub?

S: Wir 1) .... in die Türkei geflogen und 2) .... zwei Wochen in Side verbracht.

W: Aha! Da war ich noch nie. Wie 3) .... es Ihnen gefallen?

S: Es war wunderbar. Wir 4) .... uns richtig erholt!

W: Tatsächlich! Wo 5) .... Sie denn gewohnt?

S: Wir 6) .... in einem Luxushotel gewohnt, direkt am Strand. Der Service war ausgezeichnet und das Essen 7) ....uns sehr gut geschmeckt. Die Leute waren auch sehr freundlich.

W: Und was 8) .... Sie dort gemacht?

S: Natürlich 9) .... wir viel am Strand gelegen und 10) .... auch jeden Tag geschwommen. Wir 11) .... die römischen Ruinen besucht, die direkt in Side sind. Wir 12) .... auch einige Ausflüge mit dem Bus ins Landesinnere gemacht. Und abends 13) .... wir durch die Basare gebummelt. Es war ein sehr schöner Urlaub.

W: Und wie war das Wetter?

S: Meistens herrlich, nur am letzten Tag 14) .... es geregnet!

W: Klingt ja wunderbar. Da muss ich auch mal hin! Und haben Sie schon Reisepläne für dieses Jahr?

S: Ja, dieses Jahr fahren wir wahrscheinlich nach Spanien.

Track 32

2 Hören Sie nun das Gespräch und kontrollieren Sie Ihre Lösungen in Aufgabe 1.

E

Wo und wie haben Sie Ihren letzten Urlaub verbracht? Tauschen Sie Ihre Urlaubserlebnisse mit einem Partner oder einer Partnerin aus. Sprechen Sie dann auch von Ihren Ferienplänen für den nächsten Sommer.

F

Spielen Sie mit Hilfe des Informationsblatts auf Seite 42 abwechselnd die Rolle von Gast und Gastgeber in Frankfurt.
Partner A benutzt Datenblatt A10, S. 87   Partner B benutzt Datenblatt B10, S. 88

G

Machen Sie nun eine Liste von Dingen, die man in Ihrer Stadt sehen und tun kann, und beraten Sie einen deutschsprachigen Gast.

Zum Lesen

Frankfurt Welcome

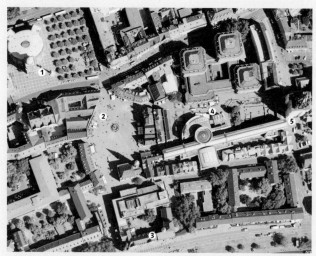

1 Paulskirche **2** Römer **3** Historisches Museum **4** Kunsthalle Schirn **5** Kaiserdom

Sehenswürdigkeiten

Alle interessanten Sehenswürdigkeiten liegen zentrumsnah und sind ohne Mühe zu Fuß zu erreichen. Besonders empfehlenswert:

Römerberg
Frankfurts ältester Platz im Zentrum der Stadt. Auf dem Römerberg fanden im 11. Jahrhundert erstmals Messeveranstaltungen statt.

Römer
Das mittelalterliche Rathaus Frankfurts, seit 1405 Wahrzeichen der Stadt.

Kaiserdom
Seit 1356 offizieller Wahlort und seit 1562 die Krönungsstätte der deutschen Könige und Kaiser.

Paulskirche
Die Paulskirche wurde 1789–1833 erbaut und war Sitz der ersten Deutschen Nationalversammlung 1848/49.

Goethe-Haus
Hier wurde Deutschlands größter Dichter, Johann Wolfgang von Goethe, am 28. 8. 1749 geboren.

Unser Tipp: Eine Stadtrundfahrt – täglich ab Römer oder Hauptbahnhof – oder ein virtueller Stadtrundgang im Internet.

Museen
Frankfurt hat eine beeindruckende Vielzahl an Museen. Einige davon befinden sich am so genannten „Museumsufer" an beiden Seiten des Mains. Besonders empfehlenswert:

Historisches Museum
Das älteste Museum der Stadt zeigt die Geschichte Frankfurts.

Museum für Moderne Kunst
Das Gebäude wurde vom österreichischen Architekten Hans Hollein entworfen und 1991 eröffnet – ein besonders spektakuläres Beispiel Frankfurter Museumsarchitektur.

Schirn Kunsthalle Frankfurt
Hier finden erstklassige internationale Wechselausstellungen statt.

Deutsches Filmmuseum
Hier erleben die Besucher Filmgeschichte zum Anfassen. Eine besondere Attraktion ist das Kino im Museum.

Naturmuseum Senckenberg
Die umfangreiche Ausstellung über die Erdgeschichte und die Evolution ist eine der wichtigsten naturkundlichen Sammlungen Europas. Besonders beeindrucken die Skelette riesiger Dinosaurier.
Öffnungszeiten in fast allen Museen: Di–So 10–17 Uhr, Mi 10–20 Uhr

Einkaufsstraßen und Märkte

Einkaufen in Frankfurt ist angenehm und bequem. Die wichtigsten Einkaufsstraßen der Innenstadt sind:

Zeil
Frankfurts berühmte Einkaufsmeile ist außerdem auch Fußgängerzone durch den Stadtkern. Auf der Zeil befinden sich fast alle großen Kauf- und Warenhäuser Frankfurts.

Große Bockenheimer Straße/Goethestraße
Sie ist Frankfurts exklusive Einkaufszone. Hier findet man Niederlassungen internationaler Modeschöpfer und Juweliere. Die Große Bockenheimer Straße nennt man gleichzeitig auch die „Fressgass", weil hier eine Vielzahl von Delikatessenläden und Feinschmeckerrestaurants angesiedelt ist.
Die meisten Geschenk- und Andenkenläden findet man an der **Hauptwache**, im **Bahnhofsviertel** und in **Sachsenhausen**.

Typische Souvenirs sind der Frankfurter Äppelwoi-Bembel aus Steinzeug, blau bemalt, und das Bethmännchen aus Marzipan.

Wer Wochenmärkte liebt, kann am Samstagvormittag den **Flohmarkt am Schaumainkai bzw. Osthafenplatz** besuchen. Hier findet man alles, vom wertlosen Gerümpel bis zur Antiquität.

Freizeit in und um Frankfurt

Frankfurt hat viele Grünflächen und Parks. Besonders beliebt sind Ausflüge in den **Frankfurter Zoo**
Der ca. 11 ha große Zoo wurde 1858 vom Tierarzt Max Schmidt gegründet.

Palmengarten
Der Palmengarten, 1869 von den Bürgern Frankfurts gegründet, zeigt tropische und subtropische Pflanzen. Besonders berühmt für seine Orchideensammlung.

Frankfurt und seine Umgebung bieten viele interessante Ausflugsmöglichkeiten. Attraktive Ziele für Tagesausflüge sind das **Taunusgebirge, Heidelberg, Rothenburg ob der Tauber oder Würzburg.**

Unser Tipp: Eine Schifffahrt auf dem Main oder Rhein.

Unterhaltung

Frankfurt bietet viele Unterhaltungsmöglichkeiten: Theater, klassische Konzerte, Ballett- oder Opernveranstaltungen, Kinos, Diskotheken, Musikkeller usw.
Für Kulturinteressierte:

Alte Oper
Konzert- und Kongresshaus. International renommierte Konzertinterpreten gastieren regelmässig hier.

Stadtoper Frankfurt
Schauspielhaus Frankfurt
Genauere Informationen über alle wichtigen Veranstaltungen findet man in Veranstaltungskalendern, in der Tagespresse oder im Internet.

Unser Tipp:
Alt-Sachsenhausen
Frankfurts Vergnügungsviertel am südlichen Mainufer. Hier erlebt man die echte Frankfurter Atmosphäre. Traditionelle Lokale mit Frankfurter Spezialitäten wie *Äppelwoi* (Apfelwein), *Handkäs* mit *Musik* (Käse mit Zwiebeln), oder Rindfleisch mit Grüner Soße.

Kapitel 4
Über die Firma

Lernziele

In diesem Kapitel lernen und üben Sie:
- Informationen über Industriebereiche und Dienstleistungsunternehmen einzuholen,
  zu kommentieren und wiederzugeben
- Informationen über die Höhe des Umsatzes und über die Belegschaft eines Unternehmens zu geben
- Informationen über die Struktur eines Unternehmens einzuholen
- Organigramme zu erklären
- Ein Unternehmen/Ihre Firma vorzustellen

4.1 Was produziert die Firma?

A   **Welche Firmen kennen Sie? Was produzieren sie oder was bieten sie an?**

....

....

....

....

....

B   **1**   **Wofür sind diese Firmen bekannt? Ordnen Sie Firmen und Produkte einander zu.**

1 KIND	**a** Möbel
2 IKEA	**b** Batterien
3 Varta	**c** Pharmazeutische Produkte
4 Roche	**d** Sportwagen
5 Ferrari	**e** Hörgeräte

(o2)
Track 1

2   **Hören Sie zu und kontrollieren Sie Ihre Antworten.**

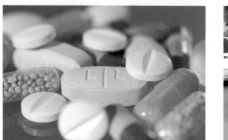

C

Track 2

Was produzieren die folgenden Firmen? Ergänzen Sie die Tabelle.

Firmen	Bereich/Sektor	Produkte
Schwarzkopf		
Grundig		
Bayer		
MAN	Kraftfahrzeuge	
Siemens		Staubsauger, ...

D **Stellen Sie Fragen zu den Firmen und Produkten in Übung C. Ihre Partnerin/Ihr Partner antwortet Ihnen.**

Was produziert die Firma (Bayer)?
Was für Produkte hat (Grundig)?

Was stellt (Siemens) her?

▶

(Bayer) produziert (Arzneimittel), zum Beispiel ...
Das ist eine Firma, die (Elektrogeräte) herstellt.
Das ist ein Unternehmen, das ...
Das ist ein Betrieb, der ...
Die Firma stellt (Haushaltgeräte) her, zum Beispiel ...

E **Hier sind die Namen einiger Firmen: Miele, Braun, IBM, Bayer, BASF, Toshiba, Nestlé, Sony, Grundig, Schwarzkopf, Agfa, Schindler.**
Kennen Sie Produkte oder Marken dieser Firmen? Haben Sie Produkte dieser Firmen bei sich zu Hause oder in Ihrer Firma?

....

....

....

F **Suchen Sie drei Firmen aus Ihrem Land im Internet.**
Was produzieren diese Firmen?
Stellen Sie die Firmen Ihrem Partner/Ihrer Partnerin vor.

....

....

....

4.2 Was für eine Firma ist das?

A **Die Aktivitäten einer Firma kann man Industriebranchen zuordnen.**
Welches Symbol passt zu welcher Branche?

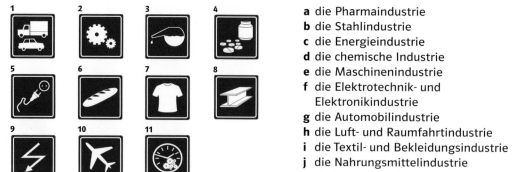

a die Pharmaindustrie
b die Stahlindustrie
c die Energieindustrie
d die chemische Industrie
e die Maschinenindustrie
f die Elektrotechnik- und
 Elektronikindustrie
g die Automobilindustrie
h die Luft- und Raumfahrtindustrie
i die Textil- und Bekleidungsindustrie
j die Nahrungsmittelindustrie
k die Uhrenindustrie

B **Fünf Mitarbeiter erklären, in welchen Branchen ihre Firmen tätig sind. Hören Sie zu und ordnen Sie die**
Firmen den Branchen in Übung A zu. Eine Branche ist in Übung A nicht aufgeführt.

Track 3

1 Mobility Car Sharing ....

2 Nespresso ....

3 Daimler AG ....

4 IWC ....

5 Hugo Boss ....

C **Stellen und beantworten Sie ähnliche Fragen über folgende Firmen. Verwenden Sie die im Kästchen**
angegebenen Sprachmuster.

1 Braun   **2** Shell   **3** Telekom   **4** Kraft
5 Nike   **6** Nestlé   **7** ABB   **8** Miele

> Was für eine Firma ist …?
> In welcher Branche/welchen Branchen ist … tätig?
> In welchem Bereich/welchen Bereichen ist die Firma aktiv?
>
> ▼
>
> … ist ein großer Chemiekonzern/eine internationale Mineralölgesellschaft/
> ein großes Elektrounternehmen.
> Die Firma ist im Bereich/in der Branche (Automobil)/in den Bereichen/in den Branchen
> (Textil- und Bekleidung)/in der Pharmaindustrie tätig/aktiv.
> Die Firma/Das Unternehmen stellt Maschinen/Teile/Medikamente/Zubehör/ … für … her.

D **Manche Firmen produzieren nicht, sondern gehören zum Dienstleistungssektor.**
Zu diesem Sektor zählen zum Beispiel die Bereiche:

– Banken und Versicherungen
– Verkehr und Kommunikation
– Handel und Verkauf
– Touristik, Hotels und Gaststätten

Nennen Sie je drei Namen zu jedem Sektor.

E **1** Sechs Mitarbeiter beschreiben ihre Firma. Was für Firmen sind es?
Ordnen Sie zu.

Track 4

1 Lufthansa	**a** ist eine Speditionsfirma.
2 Aldi	**b** ist eine Versicherungsgesellschaft.
3 Neckermann	**c** ist eine Supermarktkette.
4 Harrods	**d** ist ein Versandhaus.
5 Allianz	**e** ist ein Kaufhaus.
6 Planzer	**f** ist eine Fluggesellschaft.

2 Vergleichen Sie Ihre Antworten mit Ihrem Partner oder Ihrer Partnerin.

F **1** Lesen Sie die Auszüge aus Firmenanzeigen. In welchen Branchen sind die Firmen tätig?
Was für Produkte bzw. Dienstleistungen bieten sie an? Machen Sie sich Notizen.

Merck ist das älteste pharmazeutisch-chemische Unternehmen der Welt – seine Wurzeln reichen bis in das Jahr 1668 zurück. Das operative Geschäft wird unter dem Dach der Merck KGaA geführt, die ihren Sitz in Darmstadt hat. Rund 33 600 Mitarbeiter sind in 64 Ländern für das Unternehmen tätig. Der Unternehmensbereich Pharma umfasst innovative rezeptpflichtige Arzneimittel sowie Produkte für die Selbstmedikation. Der Unternehmensbereich Chemie bietet Spezialprodukte für die Elektronik-, Farb-, Kosmetik-, Pharma- und Biotech-Industrie. Merck ist der weltgrößte Hersteller von Flüssigkristall-Materialien für die Display-Industrie. Die Effektpigmente von Merck Chemicals setzen Maßstäbe in der Lack-, Kunststoff und Druckindustrie, aber auch in der Kosmetik, der Lebensmittel- und der Pharmaindustrie.

Dr. Oetker ist ein Familienunternehmen mit Stammsitz in Bielefeld. Mit ca. 350 Produkten vermarktet das Unternehmen eine vielseitige Produktpalette: Backartikel wie Backpulver oder Backmischungen, aber auch Backgeräte; Desserts und süße Mahlzeiten; Tiefkühl-Pizza und Snacks sowie Produkte für die frische Küche. Laut Umfragen mit Verbrauchern ist Dr. Oetker die bekannteste Marke im Bereich Lebensmittel in Deutschland. Das Unternehmen orientiert sich aber auch zunehmend international: Die Dr. Oetker GmbH bildet das Dach über zahlreiche Dr. Oetker Produktions- und Vertriebsgesellschaften, die in ca. 40 Ländern tätig sind und mehrere tausend verschiedene Produkte herstellen. Neben Deutschland sind die Unternehmen vor allem in West- und Osteuropa, aber auch in Nord- und Südamerika tätig.

OTIS

Otis, ein Tochterunternehmen der United Technologies Corporation, ist weltweit führend in den Bereichen Herstellung, Montage und Wartung von Aufzügen, Fahrtreppen, Fahrsteigen und anderen horizontalen Transportsystemen.

2 Präsentieren Sie Ihre Ergebnisse im Kurs.

4.3 Wie groß ist die Firma?

A 1 **Firmengröße, Umsatz, Mitarbeiterzahl ... Das bedeutet große Zahlen.**
Wie spricht man diese Zahlen aus? Ordnen Sie zu.

| 250 000 | 1998 | 38 062 000 000 / 38 062 Mio. | 13,5 % | 3 845 000 |

1 zweihundertfünfzigtausend: ....

2 drei Millionen achthundertfünfundvierzigtausend: ....

3 achtunddreißig Milliarden zweiundsechzig Millionen: ....

4 dreizehn Komma fünf Prozent: ....

5 neunzehnhundertachtundneunzig: .... (Jahreszahl)

2 **Es gibt unterschiedliche Definitionen für die Größe eines Unternehmens.**
Unterstreichen Sie die Zahlen im Text. Lesen Sie die Zahlen dann laut vor.

Das Institut für Mittelstandsforschung in Bonn (IfM) unterscheidet so: Kleine Unternehmen beschäftigen bis zu 9 Mitarbeitern und haben einen Umsatz von unter 1 000 000 Euro. Mittlere Unternehmen haben bis zu 499 Mitarbeiter und maximal 50 000 000 Euro Umsatzerlös. Unternehmen, die mehr Mitarbeiter oder einen höheren Umsatz haben, gelten als Großunternehmen. Nach der Definition des IfM zählen über 99 % der Unternehmen in Deutschland zu den kleinen und mittleren Unternehmen (KUM). Sie erwirtschaften 37,5 % aller Umsätze und beschäftigen 70,6 % aller Beschäftigten (Stand 2009).

○2
Track 5
3 **Hören Sie zu und notieren Sie die Zahlen.**

a) .... b) .... c) .... d) .... e) ....

f) .... g) .... h) .... i) .... j) ....

B 1 **Mitarbeiter der Firmen BASF, Kessel und Jack Wolfskin sprechen über ihre Firmen.**
○2 **Notieren Sie Branche, Umsatz und Mitarbeiterzahl.**
Track 6

	Jack Wolfskin	BASF	Kessel
Branche			
Umsatz			
Mitarbeiterzahl			

2 **Welche Firma ist**

ein großer Konzern, ein mittelständisches Unternehmen, eine kleine Firma?

C 1 **Interviewen Sie die Sprecher folgender Firmen mit Hilfe der Sprachmuster (s. S. 46 und 49).**

FABER-CASTELL
since 1761

Gründung: 1761; Branche: Schreibwaren; Produkte: Kernkompetenz holzgefasste Blei- und Farbstifte; Beschäftigte: weltweit ca. 7.000, in Deutschland über 900; Gruppenumsatz Geschäftsjahr 2008/09: konsolidiert 427,7 Mio. €

FERRERO

Gründung: 1946 in Italien, Ferrero Deutschland 1956; Branche: Lebensmittel; Produkte: Süßwaren Mitarbeiter: ca. 3600 (Ferrero Deutschland) Umsatz: Ferrerogruppe über 6,2 Mrd. € (2009)

Wie hoch ist/Was ist/Wie viel beträgt der Umsatz von …?/Ihr Jahresumsatz?	▶	Der Umsatz beträgt/Wir haben einen Umsatz von/(ca.)/(über) … Mrd. Euro.
Wie viele Mitarbeiter/Leute hat die Firma?/ beschäftigen Sie?	▶	Wir beschäftigen (ungefähr) … Mitarbeiter. Wir haben (rund/etwa) … Beschäftigte.
Seit wann gibt es die Firma? Wann wurde das Unternehmen gegründet?	▶	Die Firma gibt es seit … Das Unternehmen wurde … gegründet.

2 Führen Sie zwei weitere Interviews.
Partner A benutzt Datenblatt A11, S. 89.   Partner B benutzt Datenblatt B11, S. 90.

D   **Lesen Sie den Auszug aus dem Geschäftsbericht 2008 der Daimler AG.**

Wichtige Kennzahlen der Daimler AG								
	2001	**2002**	**2003**	**2004**	**2005**	**2006**	**2007**	**2008**
Umsatz in Mio. €	150 422	147 408	136 437	142 059	95 209	99 222	99 399	**95 873**
Personalaufwand in Mio. €	25 095	24 163	24 287	24 216	24 650	23 574	20 256	**15 192**
Beschäftigte Personen im Jahresdurchschnitt	379 544	370 677	370 684	379 019	296 109	277 771	271 704	**274 330**

1 Stellen und beantworten Sie Fragen zu den Zahlen in der Mehrjahresübersicht der Daimler AG, zum Beispiel:

Wie hoch war der Umsatz 2001?
Wie viele Mitarbeiter hatte die Firma im Jahre 2003?

2 Vergleichen Sie die Zahlen für die verschiedenen Jahre, zum Beispiel:

War der Umsatz 2004 höher oder niedriger als 2008?
War die Zahl der Mitarbeiter 2002 höher als 2003 oder etwa gleich hoch?

3 Wie könnte man die Zahlen erklären? Wählen Sie eine passende Antwort aus der Liste.

Das war eine Folge … / Es ist wahrscheinlich wegen …
… der Rezession / der Wirtschaftskrise in Europa/in der ganzen Welt.
… der Akquisition/des Verkaufs einer Firma.
… der Eröffnung/Schließung eines Werks.
… der Umstrukturierung des Unternehmens.
… der stärkeren/schwächeren Nachfrage (im Inland/Ausland).

E   **Suchen Sie Informationen über Firmenergebnisse im Internet und tauschen Sie diese aus.**

....
....
....
....

4.4 Wie ist die Firma strukturiert?

A   **Lesen Sie die Informationen über ABB und beantworten Sie die Fragen.**

Organigramm

ABB Ltd.

> **Automationsprodukte**
> Umsatz 2009:
> 8 930 Mio. US-$
> 25 % vom Gesamtumsatz

> **Prozessautomation**
> Umsatz 2009:
> 7 347 Mio. US-$
> 21 % vom Gesamtumsatz

> **Energietechnikprodukte**
> Umsatz 2009:
> 11 239 Mio. US-$
> 32 % vom Gesamtumsatz

> **Energietechniksysteme**
> Umsatz 2009:
> 6 549 Mio. US-$
> 19 % vom Gesamtumsatz

> **Robotik**
> Umsatz 2009:
> 970 Mio. US-$
> 3 % vom Gesamtumsatz

Umsätze 2009 nach Regionen

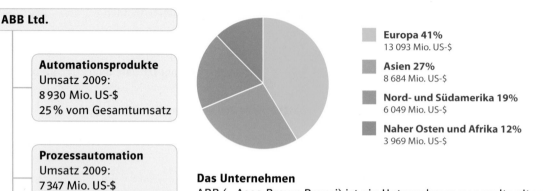

- **Europa 41 %**
  13 093 Mio. US-$
- **Asien 27 %**
  8 684 Mio. US-$
- **Nord- und Südamerika 19 %**
  6 049 Mio. US-$
- **Naher Osten und Afrika 12 %**
  3 969 Mio. US-$

Das Unternehmen

ABB (= Asea Brown Boveri) ist ein Unternehmen von weltweiter Bedeutung, das in der Energie- und Automationstechnik tätig ist. Es entstand 1988 aus der Fusion der schwedischen ASEA und der schweizerischen Brown Boveri (BBC). Das Unternehmen ermöglicht seinen Kunden in der Energieversorgung und der Industrie, ihre Leistung zu verbessern und gleichzeitig die Umweltbelastung zu reduzieren.

51 %, also ca. die Hälfte seines Umsatzes, erwirtschaftet das Unternehmen in den Bereichen der Energietechnikprodukte und der Energietechniksysteme. Von ähnlicher wirtschaftlicher Bedeutung sind die Bereiche der Automationsprodukte und der Prozessautomation, mit denen 46 % des Umsatzes erzielt werden. Der zahlenmäßig geringste Anteil am Umsatz entfällt auf den Bereich der Robotik.

ABB ist in 100 Ländern tätig und besteht aus weltweit über 330 konsolidierten Tochtergesellschaften, nicht nur in Europa, sondern auch in Nord- und Südamerika, Asien sowie im Nahen Osten und in Afrika. ABB Deutschland zählt mit einem Umsatz von 3,2 Milliarden Euro zu den weltweit wichtigsten Standorten innerhalb des ABB-Konzerns.

1 In welchen Bereichen ist ABB tätig?
2 Wofür stehen die Buchstaben ABB?
3 Wann wurde die Firma gegründet?
4 Welche Produkte bietet ABB an?
5 In wie vielen Ländern ist ABB tätig?
6 Wie viele Tochtergesellschaften hat ABB?
7 Hat ABB nur in Europa und Nordamerika Standorte?
8 Welcher Standort ist von großer Bedeutung?
9 Wie haben sich die Umsätze nach Regionen entwickelt? Recherchieren Sie auch im Internet.

B **1** Sehen Sie sich folgende Informationen über die Metro Group an.

Metro Group			
Metro AG			
Großhandel	**Lebensmitteleinzelhandel**	**Nonfood-Fachmärkte**	**Warenhäuser**
Metro Cash & Carry GmbH, Düsseldorf	real,-SB-Warenhaus GmbH, Mönchengladbach	Media-Saturn-Holding GmbH, Ingolstadt	Galeria Kaufhof GmbH, Köln
106 876 Mitarbeiter 670 Märkte in 30 Ländern	58 000 Mitarbeiter 442 Märkte in 6 Ländern (davon 333 in Deutschland)	60 000 Mitarbeiter (davon 2000 am Hauptsitz) 800 Standorte in 16 Ländern	25 000 Mitarbeiter 126 Filialen in über 80 Städten, 15 Filialen in Belgien

⌾2
Track 7

2 Ein Firmensprecher beschreibt die Struktur und die Aktivitäten der Metro Group. Hören Sie zu und ergänzen Sie Übung 3.

3 Kurzportrait und Kennzahlen eines Konzerns.

Name des Konzerns ....

Geschäftsfelder ....

Hauptsitz der AG ....

Sitz der GmbHs ....

Anzahl der Standorte ....

In wie vielen Ländern ist die Gruppe vertreten ....

Mitarbeiter (insgesamt) ....

Gesamtumsatz ....

Umsatz im Ausland (in %) ....

C Stellen und beantworten Sie Fragen zur Metro Group anhand der Sprachmuster.

Können Sie die Firmenstruktur von ... (kurz) beschreiben?

▼

Die Firma gehört zum ...-Konzern/zur ...-Gruppe/ist eine Tochtergesellschaft von ...
Die Aktivitäten der Gruppe/Firma sind in ... Unternehmensbereiche gegliedert/ umfassen ... Geschäftsbereiche.

Wie viele Gesellschaften gibt es in der Gruppe? ▶ Zu der Gruppe gehören ... (in über ... Ländern).

Wo ist der Hauptsitz/die Hauptverwaltung?
Wo sind andere/wichtigste Standorte? ▶ Der Stammsitz ist in ....
Die Firma hat Filialen/Standorte/ Tochtergesellschaften in ...

4.5 Firmenpräsentation

A **1** **Hören Sie sich jetzt eine Präsentation über den REBUS-Konzern an und machen Sie sich Notizen zu diesen Punkten:**

Track 8

Branche: ....

Produkte: ....

Gründungsjahr: ....

Zahl der Gruppenunternehmen: ....

Standorte: ....

Umsatz: ....

Mitarbeiter: ....

Aktivitäten im Ausland: ....

2 **Hören Sie die Präsentation noch einmal. Was plant der Rebus-Konzern für die Zukunft? Kreuzen Sie an.**

Der Rebus-Konzern ...
1 ☐ ... möchte bald das britische Handelsunternehmen Goodmans übernehmen.
2 ☐ ... plant, seine Marktposition auszubauen.
3 ☐ ... hofft, seinen Umsatz auf 10 Milliarden Euro weltweit zu steigern.
4 ☐ ... hat beschlossen, mit Espatex in Spanien zusammenzuarbeiten.
5 ☐ ... versucht, seinen Marktanteil in Spanien auf 13 Prozent zu erhöhen.

B **1** **Lesen Sie folgende Informationen über die Firma Baumgarten. Wie hat sich die Firma seit ihrer Gründung entwickelt? Was plant sie für die Zukunft?**

1988	heute	in 5 Jahren
Gründung in Ulm	100 Mitarbeiter	Mitarbeiterzahl erhöhen
Geschäftsführer	3 Standorte	weiter wachsen
K. Baumgarten	15 Produkte	weitere Filialen
3 Mitarbeiter		Produktpalette erweitern

2 **Ergänzen Sie die richtige Verbform im Text.**

Die Firma Baumgarten a) .... (geben) es seit 22 Jahren. Sie wurde von Karl Phillip Baumgarten gegründet, der bis heute das Geschäft b) .... (leiten). Die Firma, die mit nur drei Mitarbeitern c) .... (angefangen), ist seitdem stetig gewachsen.
Heute d) .... (arbeiten) bereits 100 Mitarbeiter für Baumgarten und die Firma e) .... (wachsen) weiter. In den nächsten 5 Jahren möchte sie die Produktpalette f) .... (erweitern) und weitere Filialen g) .... (eröffnen). Der Hauptsitz der Firma h) .... (befinden) sich seit der Gründung in Ulm – und daran soll sich auch nichts ändern.

C **Suchen Sie im Internet nach ähnlichen Informationen über Unternehmen und ihre Plänen für die Zukunft. Präsentieren Sie Ihre Ergebnisse dann im Kurs.**

D **Sie besuchen zwei Firmen und informieren sich.**
Partner A benutzt Datenblatt A12, S. 89   Partner B benutzt Datenblatt B12, S. 90

E **1** Was plant Ihre Firma? Wählen Sie die für Sie wichtigsten Punkte aus und notieren Sie sich Stichwörter.

> Produkte / Dienstleistungen   Standort(e)   Beschäftigte   Umsatz   Aktivitäten im Ausland
> Hauptsitz   Tochtergesellschaften   Filialen   Geschäftsbereiche   Zusammenarbeit

heute

....

....

....

....

....

....

....

Zukunft

....

....

....

....

....

....

....

2 Bringen Sie Ihre Punkte in eine gute Reihenfolge und präsentieren Sie Ihre Firma im Kurs.

F **1** Hier sehen Sie eine Tabelle mit den fünfzehn umsatzstärksten deutschen Unternehmen.
Lesen und kommentieren Sie die Informationen.

Rang	Name	Hauptsitz	Umsatz (in Mio. €)	Mitarbeiter	Branche
1.	Volkswagen AG	Wolfsburg	108.897	329.305	Automobil
2.	Daimler AG	Stuttgart	99.399	272.382	Automobil
3.	Siemens AG	München	72.488	398.200	Mischkonzern
4.	E.ON	Düsseldorf	68.731	87.815	Energie
5.	Metro AG	Düsseldorf	65.500	300.000	Handel
6.	Deutsch Post AG	Bonn	63.512	475.100	Logistik
7.	Deutsch Telekom	Bonn	62.516	241.426	Telekommunikation
8.	BASF	Ludwigshafen	57.951	95.175	Chemie
9.	BMW	München	56.018	107.539	Automobil
10.	ThyssenKrupp	Essen/Duisburg	51.723	191.350	Mischkonzern
11.	Schwarz-Gruppe	Neckarsulm	49.600	260.000	Handel
12.	Robert Bosch GmbH	Stuttgart	46.320	271.265	Mischkonzern
13.	Rewe Gruppe	Köln	45.060	290.421	Handel
14.	Aldi	Essen/Mühlheim	42.038	200.000	Handel
15.	RWE	Essen	41.053	63.439	Energie

Alle Zahlen beziehen sich auf 2009. Quelle: Wikipedia

2 Welche Unternehmen gehören in Ihrem Land zu den Top 100?
Recherchieren Sie im Internet und stellen Sie Ihr Ergebnis im Kurs vor.

....

....

....

....

....

Zum Lesen

VICTORINOX®: Unternehmertum im Zeichen von Tradition, Qualität und Innovation

Die Familienfirma VICTORINOX® existiert seit 1884 und ist heute die größte Messerfabrik in Europa. Unser Ziel ist es, den Kunden mit preiswerten Qualitätserzeugnissen zu dienen. Sorgfältige und rationelle Fertigungsmethoden und erstklassige Rohmaterialien garantieren für höchste Qualität bei unseren Produkten.

Es gehört zur Familientradition des Unternehmens, nicht nur wirtschaftlichen Gewinn zu erzielen, sondern auch in der Zukunft Arbeitsplätze in einem gesunden Arbeitsumfeld zu sichern. VICTORINOX® beschäftigt weltweit etwa 1 800 Mitarbeitende (2010), denen es eine faire Entlohnung sowie großzügige Sozialleistungen und attraktive Weiterbildungs- und Entwicklungsmöglichkeiten garantiert.

VICTORINOX® ist in verschiedenen Kernbereichen tätig: Taschenmesser, Haushalts- und Berufsmesser, Uhren, Reisegepäck, Bekleidung sowie Parfüm. Das bekannteste Produkt ist zweifelsfrei das „Original Swiss Army Knife", das in über 100 Variationen und Kombinationen erhältlich ist. Es gilt auf der ganzen Welt als Inbegriff guter Qualitäts- und Präzisionsarbeit. Gegenüber Konkurrenzprodukten unterscheidet es sich durch seine

einzigartige Funktionalität in Kombination mit herausragendem Design.

Die VICTORINOX®-Taschenmesser sind die perfekte Lösung für Ihre Werbegeschenke, für Betriebs- und Arbeitsjubiläen, für Weihnachten, Ausstellungen und Verkaufsaktionen.

Auch die VICTORINOX®-Haushaltsmesser sind sehr beliebt und die VICTORINOX®-Berufsmesser genießen Weltruf.

VICTORINOX® ist mit Niederlassungen in acht Ländern präsent und hat Vertretungen in über 100 Ländern auf allen fünf Kontinenten. VICTORINOX®-Produkte erhalten Sie bei Ihrem Fachhändler.

Swisscard

Uhren

Küchenset

Metzgermesser

Soldatenmesser

Offiziersmesser

SwissChamp

Victorinox Flash

SwissTool

Golf-Tool

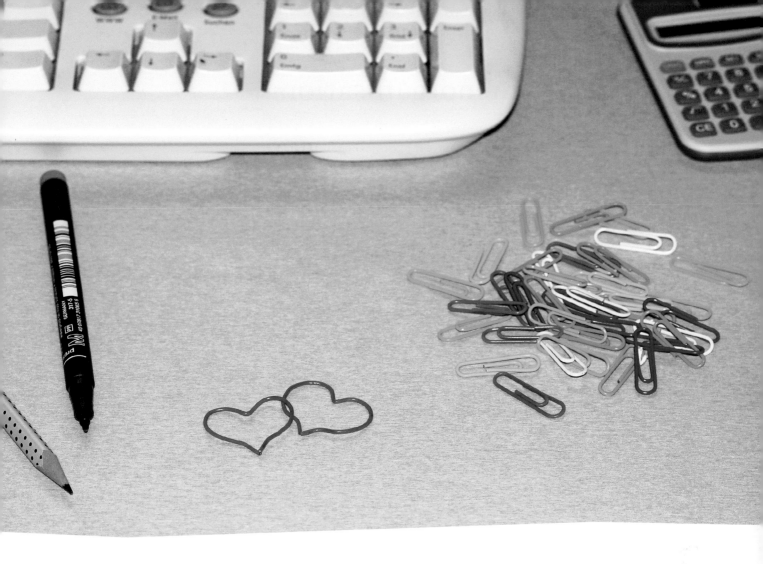

Kapitel 5
Bei der Arbeit

Lernziele

In diesem Kapitel lernen und üben Sie:
- Den Aufbau und die Funktionen verschiedener Abteilungen in einem Unternehmen zu benennen
- Über Arbeitszeiten und Löhne zu sprechen
- Nach Orten in einem Gebäude zu fragen und entsprechende Wegbeschreibungen zu verstehen
- Über Arbeitsaufgaben und Arbeitsabläufe zu sprechen
- Einstellungen zur Arbeit zu diskutieren

5.1 Die Firmenorganisation

A **1** **Sehen Sie sich das Organigramm der Maschinenbaufirma Hammer GmbH an.
Welche Abteilungen kennen Sie schon?**

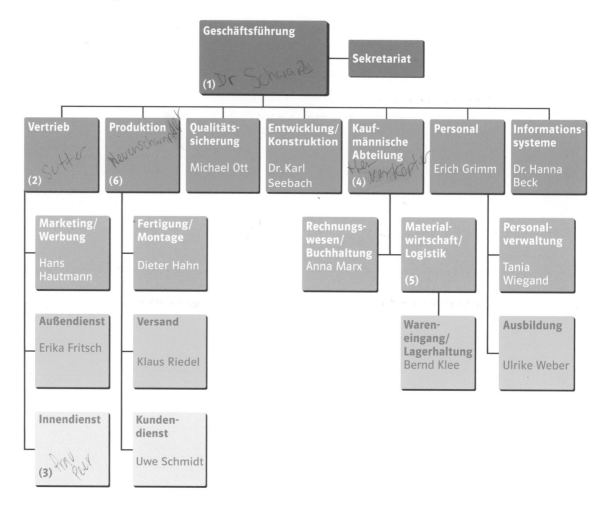

2 **Ergänzen Sie die Beschreibung der Firmenorganisation.**

Bei der Firma Hammer GmbH gibt es eine Geschäftsführung und sieben Hauptbereiche. Die Haupt-

bereiche sind: Vertrieb, Produktion, Qualitätssicherung, a) Entwicklung/..................................., die

b) .... Abteilung, Personal und c) ....

Der Bereich d) .... umfasst die Abteilung Marketing/Werbung,

den Außendienst und den e) ....

Die Produktion umfasst die f) ...., den Versand und den g) ....

Zum kaufmännischen Bereich gehören die Abteilungen h) ....,

i) .... und Wareneingang/Lagerhaltung.

Der Bereich j) .... besteht aus den Abteilungen Personalverwaltung

und k) ....

56

B **1** Simone Schmidt ist Trainee bei der Firma Hammer GmbH. Der Personalleiter, Herr Grimm, erklärt ihr den Ablauf ihres Traineeprogramms.
Sehen Sie sich das Organigramm aus A1 an. In welchen Abteilungen soll Frau Schmidt arbeiten?

○2
Track 9

2 Hören Sie sich das Gespräch noch einmal an. Schreiben Sie die im Organigramm fehlenden Namen auf.

1 .... 2 .... 3 ....

4 .... 5 .... 6 *newenschwander*

C Stellen und beantworten Sie Fragen über das Personal der Hammer GmbH, zum Beispiel:

Wie heißt der Leiter/die Leiterin im Vertrieb?
Wer ist der Abteilungsleiter/die Abteilungsleiterin vom Innendienst?
Wer leitet die Produktionsabteilung/den Kundendienst?
Wer ist für das Personal/die Buchhaltung verantwortlich?

D Welche Funktionen haben diese Abteilungen bei der Firma Hammer GmbH?
Hören Sie das Gespräch und ordnen Sie zu.

○2
Track 10

1 Die Entwicklung/Konstruktion   **a** beschafft das nötige Produktionsmaterial.
2 Die Fertigung/Montage   **b** betreut die Kunden.
3 Die Materialwirtschaft/Logistik   **c** verkauft die Produkte.
4 Der Vertrieb   **d** fertigt und montiert die Produkte.
5 Der Außendienst   **e** entwickelt die Produkte und konzipiert Prototypen.

E Stellen und beantworten Sie Fragen zu den Funktionen anderer Abteilungen.

Welche Abteilung …
1 … beobachtet den Markt und den Wettbewerb? *Vertrieb = Marketing + werbung*
2 … schickt den Kunden Rechnungen? *buchhaltung*
3 … ist verantwortlich für die Planung, Einrichtung und Betreuung der EDV-Systeme? *informatios System*
4 … entscheidet über die Marketing-Strategie? *Vertrieb / Marketin + Werbung*
5 … nimmt Rohmaterialien an, prüft und lagert sie? *wareneingang/lager haltung*
6 … versorgt die Kunden mit Ersatzteilen? *kundendiensf*
7 … ist für die Fertigungsplanung und -steuerung verantwortlich? *Fertigung/Montage*
8 … ist für die Aus- und Weiterbildung der Mitarbeiter verantwortlich?
9 … bearbeitet schriftliche und telefonische Aufträge? *Innendienst*
10 … verwaltet das Qualitätssicherungssystem im Gesamtbetrieb? *qualitätssichrung*

wer und was bestellen möchte

F Welche sind Ihrer Meinung nach die wichtigsten Abteilungen bei folgenden Unternehmen?
Kreuzen Sie an.

1 Versicherungsgesellschaften   ☒ **a**   ☐ **b**   ☐ **c**   ☐ **d**   **a** Kundendienst, Design und Entwicklung

2 Banken   ☐ **a**   ☐ **b**   ☐ **c**   ☒ **d**   **b** Forschung und Entwicklung

3 Automobilhersteller   ☐ **a**   ☐ **b**   ☒ **c**   ☐ **d**   **c** Vertrieb und Marketing, Logistik

4 Chemieunternehmen   ☐ **a**   ☒ **b**   ☐ **c**   ☐ **d**   **d** Marketing, Investitionsmanagement

5.2 Zeit und Geld

A 1 Simone Schmidt fragt den Personalleiter, Herrn Grimm, nach den Arbeitszeiten bei der Firma Hammer GmbH. Ergänzen Sie die Lücken mit Hilfe der Wörter im Kasten.

Blockzeit	Überstunden	Mittagspause	Schichtarbeit
Feiertage	gleitende Arbeitszeit	Urlaubstage	Feierabend

Wie sind die Arbeitszeiten bei der Firma?

▶ In der Fabrik gibt es 1) *Schicht Arbeit* ...., aber in der Verwaltung haben wir 2) *gleitende Arbeitzeit* Die 3) *Blockzeit* .... geht von 9:00 Uhr bis 16:00 Uhr.

Und wann kann man morgens anfangen?

▶ Man kann zwischen halb acht und neun Uhr anfangen und zwischen 16:00 Uhr und 18:30 Uhr aufhören, außer freitags. Freitags machen wir schon um 16:00 Uhr 4) *Feier Abend* ....

Wie viele Stunden muss man pro Woche arbeiten?

▶ 38 Stunden. Dazu kommt mindestens eine halbe Stunde 5) *Mittags pause* ....

Muss man auch 6) *Überstunden* machen?

▶ Ja, das kommt vor, besonders in der Fabrik, wenn viel Arbeit da ist.

Und wie viele 7) *Urlaubstage* gibt es im Jahr?

▶ 30, und die gesetzlichen 8) *Feiertage* .... kommen noch dazu.

○2 2 Hören Sie das Gespräch und kontrollieren Sie Ihre Antworten in A1.

Track 11

B Machen Sie eine Umfrage zum Thema Arbeitszeit. Fragen Sie andere Kursteilnehmerinnen und -teilnehmer. Machen Sie sich Notizen und vergleichen Sie im Kurs

C 1 Beantworten Sie die Fragen zu den durchschnittlichen Wochenarbeitszeiten in den verschiedenen Ländern anhand der Tabelle.

Durchschnittliche tatsächliche Wochenarbeitszeit					
Polen	41,7	Frankreich	38,4	Österreich	41,6
Irland	38,9	Spanien	40,4	Deutschland	41,2
Griechenland	40,8	Großbritannien	40,9	Norwegen	39,6
Italien	39,5	Niederlande	39,9		
Rumänien	41,8	Belgien	38,6		

Quelle: Eurofound 2008, 3. Quartal

1 Wie viele Stunden arbeiten die Deutschen pro Woche?
2 In welchen Ländern arbeitet man am meisten/am wenigsten?
3 Vergleichen Sie die Arbeitswoche in Ihrem Land mit anderen Ländern. Ist sie länger, kürzer oder so lang wie bei Ihnen?

2 1950 arbeitete man in Deutschland durchschnittlich 48 Stunden pro Woche. Gibt es auch in Ihrem Land den Trend zu kürzeren Wochenarbeitszeiten? Glauben Sie, dass diese Entwicklung positiv oder negativ ist? Warum?

D 1 Frau Schmidt stellt Herrn Grimm einige Fragen zur Bezahlung. Hören Sie den Dialog und unterstreichen Sie die richtigen Aussagen.

○2

Track 12

1 Frau Schmidt bekommt ihr Gehalt pro Woche / pro Monat.
2 Die Buchhaltung überweist das Bruttogehalt / das Nettogehalt.
3 Frau Schmidt bekommt außerdem noch Wohngeld / Fahrtgeld.
4 Die Angestellten bekommen am Ende des Jahres eine Zulage / ein 13. Monatsgehalt.
5 Herr Grimm gibt Frau Schmidt eine Gehaltserhöhung / Essensmarken für die Kantine.

2 Vergleichen Sie diese Bedingungen mit den Bedingungen in Ihrer Firma.

E Gehälter im Vergleich. Analysieren Sie mit einer Partnerin / einem Partner die folgende Grafik.

1 Wie hoch ist der durchschnittliche Monatsverdienst einer / eines …?
2 Ist der Durchschnittsverdienst einer / eines … höher / niedriger als der einer / eines …?
3 In welchem Beruf verdiente man 2008 durchschnittlich am meisten / am wenigsten Geld?
4 In welchem Beruf verdiente man 1990 durchschnittlich am meisten / am wenigsten Geld?
5 In welchen Berufen hat es seit 1990 Lohnerhöhungen / Lohneinbußen gegeben?
6 Finden Sie die Löhne korrekt oder zu hoch / zu niedrig? Was überrascht Sie?

Durchschnittlichen Bruttolöhne im Vergleich: 2008 und 1990

	Beruf	Durchschnittsverdienst in Euro	
		2008	**1990**
1	Ärzte	6400	8780
2	Unternehmensberater	5110	2950
3	Anwälte	4910	3810
4	Makler	4740	2010
5	Hochschullehrer	4650	2900
6	Maschinenbauingenieure	4480	3200
7	Psychologen	3910	3700
8	Chemiker	3250	1970
9	Grund-/Haupt-/Realschullehrer	3160	2740
10	Polizisten	3090	1790
11	Journalisten	3090	2470
12	Sekretärinnen	2600	1710
13	Krankenschwestern	2580	1170
14	Friseure	2510	1400
15	Erzieher	2260	1630
16	Hilfsarbeiter	2200	1330
17	Bäcker	2060	1760
18	Kassierer	1900	1380
19	Kellner	1520	1300
20	Raumpfleger	1430	1010

Die Zahlen beziehen sich auf das monatliche Bruttogehalt/ Vollzeit.
Quelle: Rp-online (2010)

5.3 Wo ist das Büro?

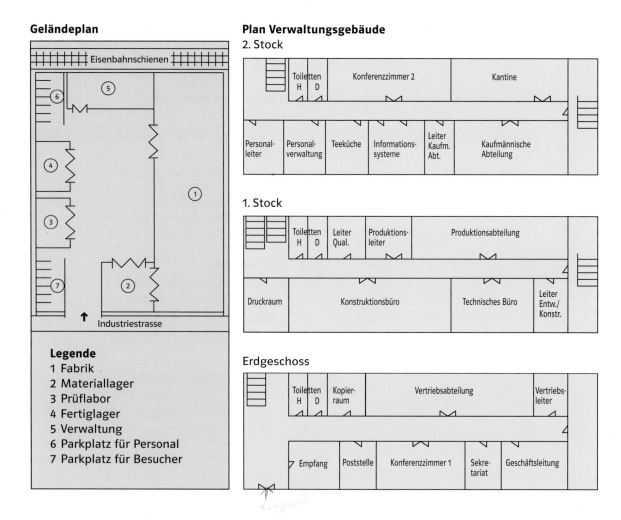

Geländeplan

Eisenbahnschienen

Industriestrasse

Legende
1 Fabrik
2 Materiallager
3 Prüflabor
4 Fertiglager
5 Verwaltung
6 Parkplatz für Personal
7 Parkplatz für Besucher

Plan Verwaltungsgebäude

2. Stock

| Toiletten H D | Konferenzzimmer 2 | Kantine |

| Personal-leiter | Personal-verwaltung | Teeküche | Informations-systeme | Leiter Kaufm. Abt. | Kaufmännische Abteilung |

1. Stock

| Toiletten H D | Leiter Qual. | Produktions-leiter | Produktionsabteilung |

| Druckraum | Konstruktionsbüro | Technisches Büro | Leiter Entw./ Konstr. |

Erdgeschoss

| Toiletten H D | Kopier-raum | Vertriebsabteilung | Vertriebs-leiter |

| Empfang | Poststelle | Konferenzzimmer 1 | Sekre-tariat | Geschäftsleitung |

A **1** **Sehen Sie sich den Geländeplan der Firma Hammer GmbH an. Setzen Sie die richtige Präposition oder das richtige Adverb ein.**

| in | hinter | gegenüber | rechts vom | neben | gegenüber | zwischen | links vom |

1 Der Haupteingang ist .... *in* .... der Industriestraße.

2 Das Verwaltungsgebäude ist .... *gegen über* .... dem Haupteingang.

3 .... *rechts vom* .... Haupteingang sind das Materiallager und die Fabrik.

4 .... *links vom* .... Haupteingang ist der Parkplatz für Besucher.

5 .... *links/neben* .... dem Verwaltungsgebäude ist der Parkplatz für das Personal.

6 Das Fertiglager ist .... *gegen über* .... der Fabrik.

7 Das Prüflabor ist .... *zwischen* .... dem Fertiglager und dem Parkplatz.

8 .... *hinter* .... dem Verwaltungsgebäude sind die Eisenbahnschienen.

60

2 Stellen Sie sich gegenseitig Fragen zum Geländeplan und beantworten Sie diese nach folgendem Beispiel.

Wo ist der Haupteingang? ▶ In der Industriestraße.

B **1** Sehen Sie sich den Plan des Verwaltungsgebäudes an. Stellen und beantworten Sie Fragen dazu, zum Beispiel:

Wo ist der Empfang? ▶ Im Erdgeschoss.
Wo ist das Büro des Produktionsleiters? ▶ Im ersten Stock.

2 In einer neuen Umgebung muss man häufiger nach dem Weg fragen. Wohin will die Frau? Benutzen Sie den Plan auf Seite 60.

Dialog 1

Entschuldigung, wo ist das Büro des ▶ Sein Büro ist im zweiten Stock. Vom Empfang aus gehen
...Personal leiter....................? Sie zwei Treppen hoch. Wenn Sie oben sind, sehen Sie seine Tür schon vor sich.

Dialog 2

Wie komme ich zur Abteilung ▶ Gehen Sie wieder nach unten ins Erdgeschoss, dann links um
...Vartriebs abteilung...........? die Ecke, den Gang entlang. Dann ist es die vierte Tür links.

Dialog 3

Ich muss in die ...Produktions abteilung... ▶ Gehen Sie zurück zum Empfang, dann eine Treppe hinauf in
Wie komme ich dorthin? den ersten Stock. Dort gehen Sie links, dann geradeaus bis fast zum Ende. Sie sehen die Abteilung auf der linken Seite.

Dialog 4

Wo ist die ...Poststelle............? ▶ Gehen Sie hier rechts raus, zurück zur Treppe, dann die Treppe runter ins Erdgeschoss. Wenn Sie unten sind, gehen Sie links. Die … ist auf der rechten Seite gleich hinter dem Empfang.

3 Hören Sie die Dialoge und kontrollieren Sie Ihre Antworten.

Track 13

C Spielen Sie weitere Dialoge. Die Pläne auf Seite 60 helfen Ihnen.
Partner A benutzt Datenblatt A13, S. 91. Partner B benutzt Datenblatt B13, S. 92.

5.4 Wofür sind Sie zuständig?

A **1** **Frau Schmidt fängt in der Vertriebsabteilung an. Die Chefin, Frau Suter, stellt sie einigen Kollegen vor. Welche Position haben sie? Ordnen Sie zu.**

○2
Track 14

1 Frau Gut *b*   a Verkaufsberater

2 Herr Kunz *a*   b Auftragssachbearbeiterin

3 Herr Gärtner *d*   c Sekretärin

4 Frau Kissling *c*   d Marketing-Assistent

2 **Hören Sie sich das Gespräch noch einmal an. Welcher Kollege/Welche Kollegin ...**

1 ... ist für die Kundenbetreuung verantwortlich? *Herr Kunz*

2 ... ist für allgemeine Büroarbeiten zuständig? *Herr Kissling*

3 ... kümmert sich um die Aufträge? *Frau Gut*

4 ... befasst sich mit Marktforschung und Werbung? *Herr Gärtner*

B **1** **Frau Gut erklärt Frau Schmidt, worin ihre Arbeit als Auftragssachbearbeiterin besteht. Nummerieren Sie ihre Aufgaben in der richtigen Reihenfolge.**

○2
Track 15

2 a Angebote erstellen

3 b Aufträge bestätigen

5 c Verkaufsberichte schreiben

4 d Liefertermine überwachen

1 e Kundenanfragen entgegennehmen

6 f Reklamationen bearbeiten

2 **Hören Sie sich den Dialog noch einmal an. Beantworten Sie die Fragen.**

1 Mit welchen Abteilungen arbeitet Frau Gut zusammen?
Entwicklung / Konstruktion / Versand

2 Wie oft muss sie Verkaufsberichte schreiben?
1 mal in monat

3 Kommen Reklamationen oft vor?
Manchmal

4 Wann reklamieren die Kunden?
wenn es nicht rechzeitig an kommt oder funktioniert nicht

C   **Lesen Sie die Stellenbeschreibungen. Ergänzen Sie mit Hilfe der Informationen in A.**

Maschinenbau Hammer GmbH
Ankerstraße 341, 10001 Buchholz,
Tel. ++49 (0)672 235 660, Fax ++49 (0)672 235 66 11

Name:
Ursula Kissling

Stellenbezeichnung: Sekretärin
....

Abteilung:
Vertrieb (Innendienst)

Zuständigkeiten:
allgemeine

.... /Büroorganisation

Aufgaben:
die Korrespondenz erledigen, die Ablage
machen, Termine vereinbaren und überwachen,
bei Sitzungen das Protokoll schreiben, Kunden
empfangen

Maschinenbau Hammer GmbH
Ankerstraße 341, 10001 Buchholz,
Tel. ++49 (0)672 235 660, Fax ++49 (0)672 235 66 11

Name:
Benno Kunz

Stellenbezeichnung: Verkaufsberator
....

Abteilung:
Vertrieb (Außendienst)

Zuständigkeiten:
....
der Kundschaft, Gewinnung neuer Kunden

Aufgaben:
Kundenbesuche machen, den Kundenbedarf
besprechen, fachliche Beratung geben, Produkte
präsentieren, Verkaufsbedingungen besprechen,
die Verkaufsstatistik führen

D   **1**   **Sie sind neu bei der Firma. Stellen Sie sich einem Kollegen oder einer Kollegin vor und fragen Sie dann nach seiner oder ihrer Arbeit.**

Ich arbeite in der Abteilung …
Ich bin (Sekretärin).

▶ In welcher Abteilung arbeiten Sie?
Was ist Ihre Funktion in der Firma/Abteilung?

Ich bin für … zuständig/verantwortlich.
Ich befasse mich mit (den Büroarbeiten).
Ich (erledige die Korrespondenz), …
Zu meinen (Haupt-)Aufgaben gehören …
Jeden Tag/Einmal im Monat/in der Woche
muss ich …
Ich muss manchmal/oft/regelmäßig/ständig …

▶ Wofür sind Sie zuständig/verantwortlich?

▶ Was müssen Sie bei der Arbeit machen?
Worin besteht Ihre Arbeit?

2   **Fragen Sie zwei andere Kollegen nach ihrer Arbeit.**
Partner A benutzt Datenblatt A14, S. 91.   Partner B benutzt Datenblatt B14, S. 92.

E   **Tauschen Sie Informationen über Ihr Aufgabengebiet in Ihrer Firma mit anderen Kursteilnehmern aus.**

5.5 Wie gefällt Ihnen Ihre Arbeit?

A **1** Bei einer Kaffeepause im Büro sprechen Frau Gut, Frau Kissling und Frau Schmidt über ihre Einstellung zur Arbeit. Wer sagt was? Notieren Sie G, K oder S.

o2
Track 16

1 „Wie ich Reklamationen hasse!" ......

2 „Unangenehme Telefongespräche mit den Kunden mag ich nicht." ......

3 „Anfragen entgegennehmen, neue Produkte anbieten, solche Sachen mache ich gerne." ......

4 „Ich verhandle auch gern mit den Kunden über die Preise." ......

5 „Ich arbeite am liebsten selbstständig." ......

6 „Mir gefällt meine Arbeit ganz gut." ......

7 „Geschäftsreisen für den Chef zu organisieren macht mir Spaß." ......

8 „Die langen Arbeitsstunden mag ich nicht." ......

9 „Ablage machen finde ich total langweilig." ......

10 „Bei Sitzungen führe ich nicht gern das Protokoll." ......

11 „Ich arbeite gern hier, denn die Arbeit ist sehr abwechslungsreich." ......

12 „Das Beste am Job sind aber die netten Kollegen!" ......

2 Wem gefällt die Arbeit besser, Frau Gut oder Frau Kissling? Warum?

B Diskutieren Sie mit den Kursteilnehmern über ihre Arbeit. Benutzen Sie folgende Fragen:

Gefällt Ihnen Ihre Arbeit?/Arbeiten Sie gern in Ihrer Firma?
Welche Aufgaben machen Sie gern/nicht gern?
Was machen Sie am liebsten?
Was gefällt Ihnen am besten an Ihrer Stelle?/Was gefällt Ihnen nicht so gut?

Beispiele:
Ich mache gern/nicht gern Kundenbesuche.
Ich nehme gern/nicht gern an Sitzungen teil.
Ich telefoniere gern/nicht gern mit Kunden.

Ich arbeite gern/nicht gern am Computer.
Und Sie?

Am besten gefällt mir die selbstständige Arbeit.
Routinearbeiten mag ich nicht.
Ich reise nicht gern/übernachte nicht gern im Hotel.
…

C **1** Man arbeitet besser, wenn das Arbeitsklima gut ist.
Welche der folgenden Eigenschaften sind Ihrer Meinung nach besonders wichtig für einen Vorgesetzten oder einen Kollegen? Machen Sie sich Notizen. Vergleichen Sie dann Ihre Meinung mit anderen Kursteilnehmern.

teamfähig	hilfsbereit	ehrgeizig	zuverlässig	geduldig	fair
einsatzbereit		sympathisch	gelassen	freundlich	genau
höflich	gutmütig	zugänglich	humorvoll	flexibel	intelligent

2 Und Sie, wie sind Sie? Wie möchten Sie sein? Warum?

D In der Kantine lernt Simone Schmidt Jan Sommer kennen. Sie unterhalten sich über das Arbeitsklima in ihren Abteilungen. Hören Sie den Dialog und beantworten Sie die Fragen.

Track 17

1 Wie findet Simone Schmidt ihre Kollegen? ....

2 Wie lange arbeitet Jan Sommer schon bei der Firma? ....

3 In welcher Abteilung arbeitet er? ....

4 Wie ist das Arbeitsklima in der Abteilung? ....

5 Wie findet Jan Sommer Frau Knupfer, Herrn Neuenschwander, Herrn Latour und Herrn Dietrich? ....

E Die Tabelle unten zeigt die Ergebnisse einer Mitarbeiterbefragung bei einem großen deutschen Unternehmen. Die Prozentzahlen drücken aus, für wie viele der Befragten die Aussagen zutreffen.

Einflussfaktoren für gutes und schlechtes Betriebsklima

+		−	
Man arbeitet gut zusammen.	82 %	Man kann die Kollegen nicht um Rat fragen.	15 %
Man hilft sich gegenseitig.	73 %	Man informiert sich zu wenig gegenseitig.	12 %
Ich fühle mich im Kollegenkreis sehr wohl.	58 %	Man hat zu wenig Freiraum, die Arbeit selbst zu gestalten.	11 %
Wir treffen uns auch privat.	48 %	Kollegen konkurrieren fast immer miteinander.	8 %
Wir versuchen, die Arbeit selbstständig aufzuteilen.	46 %	Man macht oft doppelte Arbeit, weil man zu wenig miteinander spricht.	7 %
Wir halten in allen Situationen zusammen.	30 %	Meist herrscht ein gespanntes Klima.	6 %

1 Wie würden Sie das Arbeitsklima bei dieser Firma beurteilen?

a sehr gut **b** gut **c** könnte besser sein **d** nicht gut

2 Nummerieren Sie mit Hilfe der Befragungsergebnisse folgende Faktoren in der Reihenfolge von sehr wichtig bis weniger wichtig.

.... private Kontakte mit den Kollegen .... nette Kollegen

.... selbstständige Arbeitsaufteilung .... gute Zusammenarbeit

.... effektive Kommunikation .... Teambewusstsein

F 1 Welche von den Aussagen in der Tabelle oben treffen für Ihre Firma zu?

2 Wenn das Arbeitsklima schlecht ist, wie könnte man versuchen, es zu verbessern? Machen Sie Vorschläge.

Übungsbuch S. 121–123

Zum Lesen

Lesen Sie den Text. Sind die Aussagen unten richtig oder falsch?
Kreuzen Sie an und korrigieren Sie die falschen Aussagen.

Frauen und Männer sind anders – auch beim Verdienst

Eine Erhebung des Statistischen Bundesamts ergab: Frauen verdienen deutlich weniger als Männer. 2006 lag der Bruttostundenverdienst von Frauen 23 % unter dem der Männer.

Woran liegt dieser „Gender Pay Gap", der geschlechtspezifische Verdienstunterschied?

Ein Grund dafür liegt in der Berufswahl. Immer noch lassen sich klassische Männer- bzw. Frauenberufe unterscheiden, die mit einem hohen beziehungsweise niedrigem Bruttojahresverdienst verbunden sind. In gut bezahlten Berufen wie beispielsweise Pilot oder Geschäftsführer arbeiten deutlich mehr Männer, während deutlich mehr Frauen in schlecht bezahlten Berufen wie Raumpflegerin oder Kassiererin arbeiten. Auch die Branche spielt eine Rolle. Hier variiert der Verdienstabstand stark. Im Kredit- und Versicherungsgewerbe lag er 2006 bei 29 %, im Gastgewerbe bei 13 %. Tatsache ist: In keinem Wirtschaftszweig verdienten Frauen mehr als Männer.

Vergleicht man die Bildungsabschlüsse von Männer und Frauen, kann man nur geringe Unterschiede feststellen. Trotzdem findet man weniger Frauen in Führungspositionen. 2006 waren von den besser bezahlten leitenden Arbeitnehmern nur 30 % Frauen. Den Frauen fehlt anscheinend nicht die Qualifikation. Darauf deutet auch ein Vergleich der Einstiegsgehälter hin: Am Anfang des Berufslebens ist der Verdienstabstand zwischen Frauen und Männern zwar schon vorhanden, er ist aber geringer. 2006 lag er bei den 25- bis 29-Jährigen bei 8 %, bei den 35- bis 39-Jährigen schon bei 21 % und bei den über 60-Jährigen sogar bei 30 %. Das Alter scheint also eine Rolle zu spielen beziehungsweise die mit dem Alter verbundene Lebens- und Familiensituation. 2006 waren Frauen bei der Geburt ihres ersten Kindes durchschnittlich knapp 30 Jahre alt. Es scheint also, als würden die Frauen durch die schwangerschafts- und mutterschutzbedingte Erwerbspause und die oft daran anschließenden Erziehungszeiten den Anschluss an die Verdienstentwicklung der Männer verlieren.

Wenn Frauen während oder nach der Elternzeit in ihren Beruf zurückkehren, dann wechseln viele von der Vollzeit- in die Teilzeitbeschäftigung. Eine Reduzierung der Arbeitszeit ist aber mit einem finanziellen Nachteil verbunden. 2006 arbeiteten nur 5 % der Männer, aber 35 % der Frauen in Teilzeit.

nach Quelle: Statistisches Bundesamt Wiesbaden, 2008

	R	F
1 Der englische Ausdruck „Gender Pay Gap" bezeichnet den Verdienstunterschied zwischen Männern und Frauen.	☑	☐
2 In Deutschland ist der Verdienstunterschied zwischen Männer und Frauen nur gering.	☑	☐
3 Typische Männerberufe haben oft auch ein höheres Bruttojahreseinkommen.	☑	☐
4 In manchen Branchen verdienen Frauen mehr als Männer.	☐	☑
5 Frauen verdienen weniger, weil sie eine geringere Qualifikation haben.	☐	☑
6 Männer sind häufiger leitende Angestellte.	☑	☐
7 Am Anfang des Berufslebens ist der Verdienstunterschied geringer als später.	☑	☐
8 Die Erwerbspause, die Frauen aufgrund von Schwangerschaft und Elternzeit machen, scheint keine Ursache für den geringeren Verdienst zu sein.	☐	☑
9 Frauen arbeiten häufiger in Teilzeit als Männer.	☑	☐

Kapitel 6
Messen und Veranstaltungen

Lernziele
In diesem Kapitel lernen und üben Sie:
- Hotelbuchungen telefonisch und schriftlich vorzunehmen und zu ändern
- Sich über Abfahrtszeiten von Zügen zu informieren, eine Fahrkarte zu kaufen und einen Platz zu reservieren
- Sich über die Verkehrsverbindungen vom Flughafen zu informieren und ein Auto zu mieten
- Wegbeschreibungen zu Fuß oder mit dem Auto zu folgen
- Gründe für den Besuch einer Messe zu verstehen und anzugeben

6.1 Ein Hotel suchen und reservieren

A **1** **Frau Schumacher, Chefsekretärin bei der Schaller AG in Köln, organisiert die Reise von Herrn Borer, der die Firma auf der CeBIT in Hannover vertritt. Lesen Sie die Informationen über die Hotels, die Frau Schumacher im Internet gefunden hat.**

Anzeige A

HOTEL KRONE

Friesenstraße 35
30161 Hannover
Telefon (0)511 3388 0
Telefax (0)511 3388 114
E-Mail hotel@krone-hannover.de
Homepage www.krone-hannover.de

3-Sterne-Hotel
Bus/Bahnlinie: HBF
Parkmöglichkeiten im öffentlichen Parkhaus
neben dem Hotel

Preise
Einzelzimmer   ab € 49
Doppelzimmer   ab € 79

Das Hotel befindet sich in zentraler, aber ruhiger
Lage, nur wenige Gehminuten vom Hauptbahn-
hof entfernt.
Die 106 Einzel- und Doppelzimmer in verschie-
denen Kategorien sind mit Bad/DU/WC, Telefon,
TV, Kühlschrank, Internetanschluss ausgestattet.
Gemütliche Gartenterrasse, Hotelbar, Restaurant
mit internationaler Küche.

Anzeige B

HOTEL CITY

Ernst-August-Platz 2, 30519 Hannover
Telefon (0)511 3674 0, Telefax (0)511 3674 114
E-Mail info@cityhotel.de
Homepage www.cityhotel.de

4-Sterne-Hotel
Bus/Bahnlinie: HBF
Hoteleigene Tiefgarage mit 25 Parkplätzen
Weitere Parkmöglichkeiten im Parkhaus am
Hauptbahnhof

Preise
Einzelzimmer   ab € 85
Doppelzimmer   ab € 115
Juniorsuite   ab € 180
Luxussuite   ab € 280

Das Hotel liegt im Herzen Hannovers, direkt
gegenüber dem Hauptbahnhof.
Jedes Zimmer und jede Suite bietet exquisiten
Komfort verbunden mit neuester Technik.
Unser Haus verfügt über 80 komplett renovierte
Gästezimmer und Suiten, die geschmackvoll
eingerichtet sind. Absolut ruhige Nächte garantie-
ren Ihnen unsere schalldichten Fenster.
Hotelbar mit musikalischer Unterhaltung, zwei
Restaurants, internationale Spezialitäten und
abwechslungsreiche Büffets.
Hallenbad, Sauna und großes Fitness-Studio.

2 **Beantworten Sie folgende Fragen und tauschen Sie die Informationen über die beiden Hotels mit Ihrem Partner/Ihrer Partnerin aus. Eine Person nimmt Anzeige A, die andere Anzeige B.**

1 Was für ein Hotel ist das Hotel Krone/das Hotel City? ....

2 Wo liegt das Hotel? ....

3 Wie weit ist es vom Hauptbahnhof entfernt? *wenige min.* .... *direkt gegenüber*

4 Wie viele Zimmer hat das Hotel? ....

5 Wie sind die Hotelzimmer ausgestattet? *106* *80*

6 Was für eine Küche bietet das Hotel? *International* ...... *(2) international + Büffet*

7 Bietet das Hotel Freizeitmöglichkeiten an? Welche? ....

8 Hat das Hotel sonst noch Vorteile? ....

3 **Welches Hotel würden Sie für Herrn Borer wählen und warum?**

B **1** **Frau Schumacher ruft das Hotel Krone an und reserviert ein Zimmer für Herrn Borer und seine Frau. Hören Sie sich das Gespräch an. Sind folgende Aussagen richtig oder falsch?**

Track 18

		R	F
1 Ein Kunde hat Frau Schumacher das Hotel Krone empfohlen.		☐	☒
2 Es ist schwierig, Anfang März ein Hotelzimmer zu bekommen.		☒	☐
3 Frau Schumacher begleitet Herrn Borer zur CeBIT.		☐	☒
4 Die teureren Zimmer befinden sich im moderneren Teil des Hotels.		☒	☐
5 Die Zimmer zu € 79 haben einen ~~Internetanschluss.~~ *(minibar)*		☐	☒
6 Das Frühstück ist nicht im Preis inbegriffen.		☐	☒
7 Herr Borer ist privat unterwegs.		☐	☒
8 Frau Schumacher möchte eine Bestätigung der Reservierung.		☒	☐

2 **Korrigieren Sie die falschen Aussagen in B1.**

C **Frau Borer kann ihren Mann nicht begleiten. Frau Schumacher ruft das Hotel an, um die Reservierung zu ändern. Hören Sie sich das Gespräch an und kreuzen Sie die richtige Lösung an.**

Track 19

1 Die Zimmerreservierung ist für den
   a 1.3.–4.3.
   b 3.3.–6.3.
   c 1.3.–6.3.
   d 4.3.–6.3.

2 Frau Borer kann ihren Mann nicht begleiten. Sie
   a hatte einen Unfall
   b ist verreist
   c ist krank
   d ist verhindert

3 Im Vergleich zum Doppelzimmer ist das Einzelzimmer
   a billiger
   b teurer
   c moderner
   d größer

D **Mitarbeiter Ihrer Firma wollen zur CeBIT nach Hannover. Sie suchen ein Hotel und reservieren die Zimmer.**

Partner A muss eine Reservierung vornehmen und benutzt Datenblatt A15, S. 93.

Partner B arbeitet an der Rezeption des Hotels und benutzt Datenblatt B15, S. 94.

www.Bahn.de (handwritten)

6.2 Mit dem Zug nach Hannover

A Beantworten Sie die Fragen anhand des Fahrplans.

		ICE 694 ICE 772	ICE 772	ICE 614 ICE 872 IC 2376	ICE 692 ICE 770	ICE 770	ICE 620 ICE 278 IC 2374	ICE 690 IC 2872	IC 2872	ICE 610 ICE 276 IC 2372	IC 2014 ICE 74
Stuttgart Hbf	ab	06:51	07:27	07:51	08:51	09:27	09:51	10:51	11:27	11:51	12:09
Vaihingen (Enz)											12:26
Mannheim Hbf	an			**08:27**			**10:27**			**12:27**	**12:56**
Mannheim Hbf	ab	07:31	08:06	**08:31**	09:31	10:06	**10:31**	11:31	12:06	**12:31**	**13:16**
Frankfurt (M) Flughafen	ab		08:42			10:42			12:42		
Frankfurt (Main) Hbf	ab	08:13	08:58	09:13	10:13	10:58	11:13	12:13	12:58	13:13	13:58
Hanau Hbf	ab	08:29		09:29	10:29		11:29	12:29		13:29	
Fulda	ab	09:11		10:11	11:11		12:11	13:11		14:11	
Kassel-Wilhelmshöhe	an	**09:41**		**10:41**	**11:41**		**12:41**	**13:41**		**14:41**	
Kassel-Wilhelmshöhe	ab	**10:22**	10:22	**10:55**	**12:22**	12:22	**12:55**	**14:22**	14:22	**14:55**	15:22
Göttingen	ab	10:43	10:43	11:16	12:43	12:43	13:16	14:43	14:43	15:16	15:43
Hannover Hbf	an	11:17	11:17	11:56	13:17	13:17	13:56	15:17	15:17	15:56	16:17
Fahrzeit		*4:26*	*3:50*	*4:05*	*4:26*	*3:50*	*4:05*	*4:26*	*3:50*	*4:05*	*4:08*

		IC 2294 ICE 78	IC 2290 ICE 76
Stuttgart Hbf	ab	08:05	10:05
Heidelberg Hbf	ab	08:46	10:46
Weinheim (Bergstr.)	ab	09:00	11:00
Bensheim	ab	09:10	11:10
Darmstadt Hbf	ab	09:23	11:23
Frankfurt (Main) Hbf	an	**09:40**	**11:40**
Frankfurt (Main) Hbf	ab	**09:58**	**11:58**
Kassel-Wilhelmshöhe	ab	11:22	13:22
Göttingen	ab	11:43	13:43
Hannover Hbf	an	12:17	14:17
Fahrzeit		*4:12*	*4:12*

		IC 2121 IC 2023 IC 2871 IC 2082
Stuttgart Hbf	ab	11:37
Vaihingen (Enz)	ab	11:55
Heidelberg Hbf	ab	12:25
Mannheim Hbf	ab	12:39
Mainz Hbf	an	**13:18**
Mainz Hbf	ab	**13:40**
Frankfurt (M) Flughafen	an	**13:59**
Frankfurt (M) Flughafen	ab	**14:11**
Frankfurt (Main) Süd	ab	14:22
Fulda	an	**15:12**
Fulda	ab	**15:18**
Kassel-Wilhelmshöhe	ab	15:54
Göttingen	ab	16:15
Hannover Hbf	an	16:54
Fahrzeit		*5:17*

IC = Intercity
ICE = Intercityexpress

1 Wie viele Züge fahren zwischen 6 Uhr und 12:30 Uhr von Stuttgart nach Hannover? Wie sind die Fahrzeiten? *10 Verbindung*

2 Mit welchen Zügen können Sie direkt fahren? Wie lang ist dann die Fahrzeit? *3*

3 Wo müssen Sie umsteigen, wenn Sie den Zug um 12:09 Uhr von Stuttgart nehmen? Mit welchen Zugtypen fahren Sie? *IC 2014*

4 Sie haben einen Termin mit einem Kunden um 14:15 Uhr in Hannover. Sie brauchen 20 Minuten vom Hauptbahnhof bis zu seiner Firma. Mit welchem Zug fahren Sie am besten ab Stuttgart? *ICE 770*

5 Sie reisen von Stuttgart nach Hannover. In Mannheim haben Sie von 11:15 bis 12:15 Uhr eine Sitzung und um 16 Uhr müssen Sie in Hannover sein. Welche Züge nehmen Sie? *ICE 276*

6 Sie fahren von Stuttgart nach Hannover. In Frankfurt Flughafen treffen Sie um 13:30 Uhr einen Kollegen der Filiale Frankfurt. Um 17 Uhr werden Sie beide in Hannover abgeholt. Welche Züge nehmen Sie?

ICE 278 ; ICE 2082 (handwritten)

B

○2
Track 20

Frau Schumacher ruft im Reisezentrum der Deutschen Bahn an, um sich nach Zügen nach Hannover zu erkundigen. Hören Sie zu und notieren Sie. Zu manchen Punkten bekommen Sie vielleicht keine Informationen.

(handwritten: Köln nach →) *(handwritten: →1328)*

(handwritten: 10.48 ICE)

1 Reisetag .... *(handwritten: Intercity)* .... *(handwritten: ↗1★alle sind)*

2 gewünschte Reisezeit *(handwritten: ∼ 9 Uhr)* ..... *(handwritten: 9.13 → 2141 → 12.18   9.48 → ICE 12.28;)* ..... *(handwritten: direkt)*

3 Abfahrts- u. Ankunftszeit der Züge ..... *(handwritten: Do. Morgen)* ....

4 Anschlussverbindungen ....

5 Dauer der Reise ..... *(handwritten: 3 Stunden + 5 min)* ....

(handwritten: 12.15 in Hannover)

C

○2
Track 21

Frau Schumacher bucht eine Fahrkarte für Herrn Borer telefonisch. Die folgenden Aussagen sind falsch. Korrigieren Sie diese.

1 Herr Borer bucht nur die Hinfahrt. ..... *(handwritten: + zurück → Frau Schumacher bucht)*

2 Er möchte zweite Klasse. ..... *(handwritten: 1ste)*

3 Er fährt am Donnerstag, dem 4. März. ..... *(handwritten: 9.13)* ....

4 Er möchte einen Gangplatz. ..... *(handwritten: Fensterplatz)* ....

5 Frau Schumacher zahlt die Fahrkarte bar. ..... *(handwritten: Kreditkarte)* ....

6 Frau Schumacher kann die Fahrkarte am ~~Schalter~~ abholen. ..... *(handwritten: od. schicken 3€)* ....
(handwritten: automaten)

D

○2
Track 22

Sie hören vier Durchsagen am Bahnhof. Was müssen Sie tun? Kreuzen Sie an.

1 Sie wollen den Zug nach Berlin nehmen.

☒ Gehen Sie zu Gleis 4. ☐ Gehen Sie zu Gleis 14.

2 Sie wollen nach Koblenz fahren.

☒ Steigen Sie in den Zug von Gleis 9 ein. ☐ Steigen Sie nicht in den Zug von Gleis 9 ein.

3 Sie wollen nach München fahren.

☐ Sie müssen einen anderen Zug suchen. ☒ Sie müssen auf den Zug warten. *(handwritten: 15)*

4 Sie wollen nach Amsterdam fahren.

☐ Gehen Sie zu Gleis 2. ☒ Gehen zu Gleis 3.

E

Erkundigen Sie sich nach der Abfahrts- und der Ankunftszeit.
Partner A benutzt Datenblatt A16, S. 93. Partner B benutzt Datenblatt B16, S. 94.

6.3 Mit dem Flugzeug nach Hannover

Wenn man zum ersten Mal mit dem Flugzeug in einer Stadt ankommt, muss man wissen, wie man vom Flughafen in die Stadt kommt. Die meisten Flughäfen liegen mehrere Kilometer vom Stadtzentrum entfernt.
Beschreiben Sie das Bild und nennen Sie Möglichkeiten, um sich Informationen zu beschaffen.

A

Track 23

Frau Rothen von der Filiale der Firma Schaller AG in Graz fliegt nach Hannover, um ihren Kollegen Herrn Borer auf der CeBIT zu treffen. Am Flughafen in Hannover informiert sich Frau Rothen bei der Tourist-Information über die Verkehrsverbindungen.
Hören Sie das Gespräch und kreuzen Sie die richtige Antwort an.

1 Mit welchen öffentlichen Verkehrsmitteln kommt man zum Hauptbahnhof?

  a mit der Bahn   **b** mit der S-Bahn   **c** mit dem Shuttle-Bus   **d** mit der U-Bahn

2 Wie oft fährt die S-Bahn zum Hauptbahnhof?

  a alle 13 Minuten   **b** alle zehn Minuten   **c** alle 20 Minuten   **d** alle 30 Minuten

3 Von wann bis wann ist die S-Bahn in Betrieb?

  a 5 Uhr bis 24:00 Uhr   **b** 6 Uhr bis Mitternacht   **c** 5:30 bis 23:30 Uhr   **d** Mitternacht bis 5 Uhr

4 Wie lange dauert die Fahrt mit der S-Bahn?

  a 15 Minuten   **b** 20 Minuten   **c** 15 bis 20 Minuten   **d** 10 bis 15 Minuten

5 Welche S-Bahn fährt direkt zum Hauptbahnhof?

  a die Linie 8   **b** die Linie 80   **c** die Linie 18   **d** die Linie 88

6 Wo befinden sich die Taxistände?

  a beim Terminal A   **b** beim Terminal B   **c** an allen Terminals   **d** beim Terminal C

7 Wie lange fährt man mit dem Taxi ins Stadtzentrum?

  a 10 Minuten   **b** über 15 Minuten   **c** eine knappe Viertelstunde   **d** 40 Minuten

8 Was empfiehlt man Frau Rothen in der Tourist-Information?

  a die Bahn   **b** ein Taxi   **c** die S-Bahn   **d** den Shuttle-Bus

9 Welche Alternative hat Frau Rothen noch?

  a per Anhalter fahren   **b** zu Fuß gehen   **c** keine   **d** ein Auto mieten

B **Frau Rothen sieht folgende Piktogramme am Flughafen. Welche Dienstleistungen passen zu welchen Piktogrammen?**

a ☐ Informationsschalter

b ☐ Treffpunkt

c ☐ Gepäcknachforschung

d ☐ Mietwagen

e ☐ Gepäckausgabe

f ☐ Gepäckschließfach

g ☐ Post

h ☐ Linienbusse/Busbahnhof

i ☐ Bank/Geldwechsel

j ☐ Geschäfte/Zeitungskiosk

k ☐ Wartesaal

l ☐ Apotheke

C **Frau Rothen hat sich entschlossen, ein Auto zu mieten. Hören Sie sich das Gespräch an. Sind folgende Aussagen richtig oder falsch? Korrigieren Sie die falschen Aussagen.**

Track 24

1 Frau Rothen nimmt einen Mietwagen, weil die öffentlichen Verkehrsmittel schlecht sind. ....

2 Sie braucht keinen sehr großen Wagen. ....

3 Versicherung für alle Schäden, Mehrwertsteuer bezahlt sie zusätzlich. ....

4 Sie kann so viele Kilometer fahren, wie sie will. ....

5 Das Benzin ist im Preis inbegriffen. ....

6 Alle angebotenen Modelle verbrauchen vier Liter auf 100 km. ....

7 Claire Rothen muss sich ausweisen. ....

8 Die Kosten für den Wagen übernimmt die Firma von Frau Rothen. ....

9 Nur der Smart hat ein Navigationssystem (GPS). ....

10 Am letzten Tag muss Frau Rothen den Mietwagen bei Europcar am Bahnhof abgeben. ....

D **Informieren Sie sich über die Verkehrsverbindungen von anderen Flughäfen.**
Partner A benutzt Datenblatt A17, S. 95.   Partner B benutzt Datenblatt B17, S. 96.

6.4 Wie komme ich hin?

A

1 Herr Borer kommt am Bahnhof in Hannover an. Er fragt nach dem Weg zum Hotel. Verfolgen Sie seinen Weg und tragen Sie ihn auf dem Stadtplan ein. Markieren Sie den Standort des Hotels mit einem Kreis.

o2
Track 25

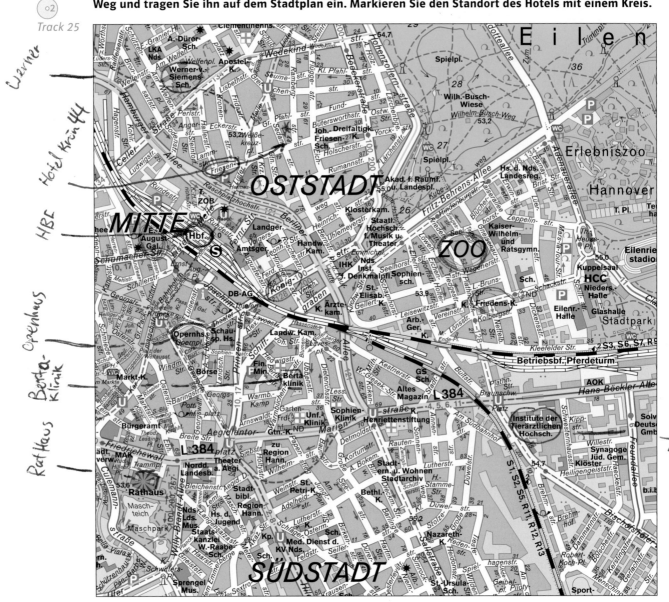

2 Sie stehen vor dem Hotel Krone. Fragen Sie Ihren Nachbarn/Ihre Nachbarin nach dem Weg.

1 Zoo (Adenauerallee 3) ....

2 Opernhaus (Opernplatz 1) ....

3 Rathaus (Trammplatz 2) ....

4 Werner-von-Siemens-Schule (Am Welfenplatz 20) ....

5 Tierärztliche Hochschule (Bischofsholer Damm 15) ....

6 Bertaklinik (Bertastraße 10) ....

B

(o2)

Track 26

Frau Rothen und Herr Borer fahren zusammen mit dem Mietwagen zur CeBIT. Hören Sie sich die Wegbeschreibung des Navigationssystems (GPS) an und vervollständigen Sie folgenden Text.

Sie a) ……Starten………………………………… in der Friesenstraße in Hannover und fahren 450 m in

b) ……richtung…………………………………… Berliner Allee.

Verlassen Sie die c) ……Straße……………………… Lister Meile und biegen Sie d) ……Sharf links

links in die Berliner Allee ein. Folgen Sie dem Straßenverlauf für 1,3 km.

Verlassen Sie die Berliner Allee und biegen Sie links in die e) ……Marien St………………… ein.

Folgen Sie dem f) ……Straßen Verlauf………………… für 630 m.

Verlassen Sie die Marienstraße beim Braunschweiger Platz und g) ……Biegen (sie)…………………

Sie rechts in den Bischofsholer Damm ein. h) ……folgen………………………… Sie dem

Straßenverlauf für 1,5 km.

Verlassen Sie den Bischofsholer Damm und biegen Sie rechts in den Messeschnellweg ein. Folgen Sie

dem Straßenverlauf für 2,5 km.

Verlassen Sie den Messeschnellweg.

Biegen Sie rechts in die Hermesallee ein. Folgen Sie dem Straßenverlauf für 680 m.

Sie sind an Ihrem i) ……Fahrt ziel…………………………, der Hermesallee in Hannover, ange-

kommen.

Quelle: MAP24 de; NAVTEQ, Europa Technologies 2010

C

Erklären Sie einem Firmenbesucher/einer Firmenbesucherin, wie er/sie am besten zu Ihrer Firma kommt. Benutzen Sie die Sprachmuster und eine Karte (im Internet).

> Sie fahren vom Bahnhof/vom Flughafen/in der …straße los.
> Nehmen Sie die … Richtung … bis zur Abzweigung/Kreuzung …
> Nehmen Sie dann die … Richtung …
> Biegen Sie links/rechts ab und nehmen Sie die … Richtung …
> Fahren Sie über die Brücke/in die …straße …, dann links/rechts/geradeaus.
> Die Firma ist auf der linken/rechten Seite.
> Es ist ein großes/neues/gelbes Gebäude. Sie können es nicht verfehlen.

1,6 km = 1 mi

Ausfahrt - Exit

Tracks - Gleise / (Bahnstieg) Pl.

to merge - die straßen vereinen sich

6.5 Auf der Messe

A Das sind die Logos von fünf der wichtigsten Fachmessen in Deutschland. Kennen Sie weitere Messen, die in Deutschland stattfinden?

B **1** Lesen Sie den folgenden Text und unterstreichen Sie die wichtigsten Informationen.

> **Die CeBIT bietet mehr als jede andere Messe**
>
> Als internationale Leitmesse der Informations- und Telekommunikationstechnik stellt die CeBIT den Weltmarkt in konzentrierter Form dar. Hier treffen über 7 500 Aussteller aus 65 Nationen auf mehr als eine halbe Million Besucher aus über 100 Ländern.
> Weil Entscheidungsträger und Fachleute aus allen Anwenderbereichen wie Industrie, Handel, aus Handwerk, den freien Berufen, der Verwaltung und Wissenschaft nach Hannover kommen, erspart Ihnen die CeBIT viele Messen im Laufe des Jahres. Auf einen Schlag können Sie in allen zentralen Anwendungsbereichen neue Kontakte knüpfen und Ihre Absatzchancen erhöhen.

2 Suchen Sie Informationen über die spoga gafa, die Leipziger Buchmesse, die boot oder die IFA im Internet. Arbeiten Sie in Gruppen und tauschen Sie Ihre Informationen aus.

Name ....

Messe für ....

Wo (Stadt/Veranstaltungsort) ....

Wann ....

Wer (nur Fachbesucher / auch andere Besucher) ....

3 Welche Messen finden in Ihrem Land statt? Was für Messen sind das? Wann und wo finden sie statt? Machen Sie sich Notizen und berichten Sie im Kurs.

....

....

....

....

....

....

sony

C   **Auf der folgenden Liste finden Sie die wichtigsten Gründe, warum Firmen auf einer Messe ausstellen. Lesen Sie die Ziele und übersetzen Sie in Ihre Sprache.**

Ziele		Fässler	Klum	Fontane
Allgemeine Ziele				
Neue Märkte kennen lernen, Marktnischen entdecken.			✓	
Sich über Neuheiten und Entwicklungstrends informieren.				
Den Absatz steigern, Aufträge bekommen.	Sales ↑, offers	✓		
Die Konkurrenz beobachten.			✓	
Die Firma bekannt machen.				✓
Kommunikationsziele				
Den Kontakt zu Stammkunden pflegen.	Maintain contact to main costomers	✓		
Wünsche der Kunden herausfinden.				
Neue Kunden gewinnen.		✓	Recherieren	
Das Firmen- und Produktprofil erhöhen.				
Marktinformationen sammeln.			✓	
Produktziele				
Produktinnovationen vorstellen.				✓
Prototypen vorstellen.		✓	✓	✓
Akzeptanz des Produktsortiments am Markt testen.				
Distributionsziele				
Vertreter suchen.				✓
Kontakt mit potenziellen Lieferanten aufnehmen.	w/ potential delivery people			
Händler und Vertriebs-gesellschaften suchen.	Traders + Sales company	✓		

D   **Vertreter der folgenden Unternehmen erklären einem Journalisten, warum sie auf der Messe ausstellen. Welche der Ziele oben erwähnen sie? Kreuzen Sie an.**

(o2)

Track 27   **Interview 1:**   Herr Fässler, Blue Electronic
                 Interview 2:   Frau Klum, Media Solution
                 Interview 3:   Herr Fontane, Network

keiner Trev Doch

Zum Lesen

Hier handelt die Welt

Messeplatz Deutschland

Durch seine geografische Lage im Herzen Europas ist Deutschland schon immer Knotenpunkt für den Handel gewesen. Heute gehört die Bundesrepublik mit immer neuen Ausfuhrrekorden zur Weltspitze.

Messe ist Kommunikation

Für den Handel sind Informationen ebenso wichtig wie die Waren selbst. Neue Produkte und Dienstleistungen müssen den Kunden präsentiert werden. Persönliche Kontakte müssen geknüpft und gepflegt werden. Wo könnte dies besser geschehen als auf Messen und Ausstellungen, im direkten Gespräch mit Kunden und Interessenten? Die Messe ist auch im Internet-Zeitalter ein wichtiges Marketinginstrument im Marketing-Mix des Unternehmens.

Deutsche Messen haben Tradition

Deutsche Handelsmessen entwickelten sich im Mittelalter aus einzelnen Jahrmärkten, um Handel zu treiben. Im Jahr 1240 verlieh Kaiser Friedrich II. der Stadt Frankfurt am Main das erste Messeprivileg und stellte die Kaufleute, die zur Messe reisten, unter seinen Schutz. Die Stadt Leipzig erhielt das Messeprivileg 1507. Jahrhundertelang war die Leipziger Messe ein Inbegriff für das Messewesen selbst.

Deutschland: Messeland Nr. 1

Nach dem Ersten Weltkrieg entstanden auch in anderen Ländern Messen, von denen sich einige zu weltweiter Bedeutung entwickelt haben. Der Messeplatz Deutschland ist jedoch die Nr. 1 bei internationalen Messen. Von den global führenden Messen der einzelnen Branchen finden rund zwei Drittel in Deutschland statt.

Jährlich werden rund 150 internationale Messen und Ausstellungen mit 160 000 bis 180 000 Ausstellern und 9 bis 10 Millionen Besuchern durchgeführt. Wichtigster Pluspunkt der deutschen Messen ist ihre Internationalität. Über die Hälfte der Aussteller kommt aus dem Ausland an, davon wiederum rund 30 % aus Übersee.

Für die Durchführung internationaler Messen und Ausstellungen stehen auf 22 deutschen Messegeländen rund 2,7 Mio m^2 Hallenfläche zur Verfügung. Zehn Gelände verfügen über mehr als 100 000 m^2 Hallenkapazität, sechs über mehr als 50 000 m^2. Drei der fünf größten Messegelände liegen in Deutschland.

Deutsche Fachmessen: Branchentreffpunkte

Die Messeart, die heute am Messeplatz Deutschland vorherrscht, ist die Fachmesse. Ein immer größeres Produktangebot machte die Konzentration auf bestimmte Produktgebiete notwendig. Fast alle Branchen sind auf deutschen Fachmessen vertreten. Einige Beispiele: Büro- und Informationstechnik, Chemie, Elektronik und Elektrotechnik, Fotografie, Maschinenbau, Mode, Möbelindustrie und Unterhaltungselektronik.

Messeplatz Deutschland 2010 ◤◣ _AUMA		
Ausstellungskapazitäten* brutto im m^2		
Ort	**Halle**	**Freigelände**
Hannover	495 265	58 070
Frankfurt/M.	345 697	95 721
Köln	284 000	100 000
Düsseldorf	262 704	43 000
München (Neue Messe)	180 000	360 000
Berlin	160 000	100 000
Nürnberg	160 000	
Essen	110 000	20 000
Stuttgart	105 200	40 000
Leipzig	101 200	69 998
Hamburg	86 574	10 000
Friedrichshafen	86 200	15 160
Bad Salzuflen	65 195	4 000
Dortmund	59 235	
Karlsruhe (Neue Messe)	52 000	10 000
Augsburg	48 000	10 000
Bremen	39 000	100 000
München (M, O, C,)	30 000	
Saarbrücken	24 600	27 400
Freiburg	21 500	80 000
Offenburg	22 570	37 877
Offenbach	18 500	400

Stand: 1.1.2010
* Messegelände mit mindestens einer Veranstaltung der AUMA–Kategorie überregionale Messen

Quelle: www.auma.de/Ausstellungs- und Messe-Ausschuss der Deutschen Wirtschaft e.V. ;Berlin

Aufgabe 1.1 E/Seite 9

A1

Situation 1

Spielen Sie die Rolle der nationalen Telefonauskunft mit Hilfe der Telefonnummern unten. Wenn Sie einen Anruf bekommen, sagen Sie:
„Auskunft, guten Tag. Welcher Ort, bitte? Wie heißt der Teilnehmer?"

Dortmund	Jever	Konstanz
Schneeberger	Hotel Undine	Camping Bodensee
Internationale Transporte	Giovanni Balmelli	Familie Lüscher
0231 634 28 76	04461 869 87 16	07531 491 77 08

Situation 2

Sie brauchen die Telefonnummern der folgenden Teilnehmer:

Müller Schreibwarenhandlung, Mannheim
Kühner, Metallbau, Darmstadt
Zimmermann AG, Elektro-Service, München

Rufen Sie die nationale Auskunft an.

Aufgabe 1.2 F/Seite 11

A2

Situation 1

Rufen Sie die Firma Fügert an. Sie möchten folgende Personen sprechen:

1. Herrn Wawrinka von der Verkaufsabteilung
2. Frau Fähndrich von der Buchhaltung
3. Herrn Gasser vom Kundendienst

Situation 2

Sie arbeiten bei der Firma Sauser. Nehmen Sie die Anrufe für folgende Personen entgegen:

Herr Schärer	Verkaufsabteilung	auf Geschäftsreise, erst nächste Woche wieder im Büro
Frau Henzel	Produktionsabteilung	meldet sich nicht
Frau Thürig	Personalabteilung	heute nicht im Büro, morgen ab 08:30 Uhr wieder da

Aufgabe 1.1 E/Seite 9 B1

Situation 1

Sie brauchen die Telefonnummern der folgenden Teilnehmer:

Camping Bodensee, Konstanz
Schneeberger, Internationale Transporte, Dortmund
Hotel Undine, Jever

Rufen Sie die nationale Auskunft an.

Situation 2

Spielen Sie die Rolle der nationalen Telefonauskunft mit Hilfe der Telefonnummern unten. Wenn Sie einen Anruf bekommen, sagen Sie:
„Auskunft, guten Tag. Welcher Ort, bitte? Wie heißt der Teilnehmer?"

München	Mannheim	Darmstadt
Zimmermann AG	Müller	Kühner Metallbau
Elektro-Service	Schreibwarenhandlung	06151 494 37 79
089 511 27 94	0621 227 68 86	

Aufgabe 1.2 F/Seite 11 B2

Situation 1

Sie arbeiten bei der Firma Fügert. Nehmen Sie die Anrufe für folgende Personen entgegen.

1. Herrn Wawrinka	Verkaufsabteilung	Anschluss besetzt
2. Frau Fähndrich	Buchhaltung	bis 16 Uhr an einer Besprechung
3. Herrn Gasser	Kundendienst	im Urlaub

Situation 2

Rufen Sie die Firma Sauser an. Sie möchten folgende Personen sprechen:

1. Herrn Schärer von der Verkaufsabteilung
2. Frau Henzel von der Produktionsabteilung
3. Frau Thürig von der Personalabteilung

Aufgabe 1.3 E/Seite 13   **A3**

Situation (A beginnt das Rollenspiel)

Sie arbeiten im Hotel Pilatus in Hamburg. Eine Kundin / ein Kunde ruft an und möchte Informationen über die Tagungsräume und die Preise. Herr Storch, der Leiter der Bankettabteilung, ist im Moment nicht im Haus. Möchte die Kundin / der Kunde eine Nachricht hinterlassen? Sie können der Kundin / dem Kunden einen Prospekt mit allen Informationen per E-Mail oder per Post schicken. Fragen Sie nach den Kontaktdaten (Name, Firma, Adresse, E-Mail, Telefonnummer). Das Hotel hat auch eine Internetseite, auf der man alle wichtigen Informationen findet: www.pilatushotel.de.

Aufgabe 1.4 C2/Seite 15   **A4**

Situation 1
Rufen Sie folgende Firmen an und hinterlassen Sie eine Nachricht.

Anruf 1
Sie wollen Frau Bethmann, die Verkaufsleiterin bei der Firma Mediastar in München, sprechen. Es geht um Frau Bethmanns Besuch nächste Woche. Sie möchten wissen, wann ihr Flug ankommt. Sie sind bis 18:00 Uhr im Büro. Hinterlassen Sie Ihre Telefonnummer.

Anruf 2
Sie möchten Herrn Demarmels der Firma Phonaxis in Basel sprechen. Es geht um die Bestellung Nr. AJ 4230. Wegen einer Maschinenpanne können Sie den Liefertermin nicht einhalten. Könnte Herr Demarmels so bald wie möglich zurückrufen?

Situation 2
Nehmen Sie Nachrichten entgegen und notieren Sie Einzelheiten.

Anruf 1
Sie heißen Kern und arbeiten bei BW Motorsport in Köln. Sie bekommen einen Anruf für Herrn Jaeger. Er ist aber auf Dienstreise und kommt erst in zwei Tagen wieder.

Anruf 2
Sie heißen Köhler und arbeiten in der Versandabteilung der Firma Luxart in Wien. Sie bekommen einen Anruf für Ihre Chefin, Frau Gebhardt. Frau Gebhardt ist heute nicht im Haus, kommt aber morgen wieder.

Aufgabe 1.3 E/Seite 13   **B3**

Situation (A beginnt das Rollenspiel)

Sie arbeiten für die IWP-Holding in München und müssen ein Seminar organisieren. Sie rufen im Hotel Pilatus in Hamburg an, um folgende Informationen zu bekommen:
– Wie viele Tagungsräume gibt es?
– Wie groß sind diese Tagungsräume?
– Tageslicht? Klimaanlage? Ausstattung (Beamer, Flip-Chart, …)?
– Preise?

Nennen Sie Ihren Namen und Ihre Geschäftsadresse und E-Mail:
IWP-Holding, Humboldtstraße 7, 81543 München, holding@iwp.com

---

Aufgabe 1.4 C2/Seite 15   **B4**

Situation 1
Nehmen Sie Nachrichten entgegen und notieren Sie Einzelheiten.

Anruf 1
Sie heißen Strobl und arbeiten bei der Firma Mediastar in München als Assistent/Assistentin von Frau Bethmann, der Verkaufsleiterin. Sie bekommen einen Anruf für Frau Bethmann. Sie ist aber den ganzen Vormittag in einer Besprechung.

Anruf 2
Sie heißen Hofer und arbeiten bei der Firma Phonaxis in Basel. Sie bekommen einen Anruf für Ihren Chef, Herrn Demarmels. Er ist aber gerade mit Kunden zusammen.

Situation 2
Rufen Sie folgende Firmen an und hinterlassen Sie eine Nachricht.

Anruf 1
Sie wollen Herrn Jaeger von der Firma BW Motorsport in Köln sprechen. Ihr Chef kann den Termin am Donnerstag im Hotel Mercure nicht einhalten. Könnte Herr Jaeger zurück-rufen, um einen neuen Termin zu vereinbaren?

Anruf 2
Sie möchten Frau Gebhardt von der Firma Luxart in Wien sprechen. Sie müssen wegen der letzten Lieferung reklamieren. Bei den 75 bestellten Schreibtischlampen Modell „Klara" sind 5 Stück defekt. Sie möchten, dass Luxart die defekten Lampen zurücknimmt.

Aufgabe 1.5 E/Seite 17   **A5**

Situation (B beginnt das Rollenspiel)

Sie sind Vertreter bei der Firma Marazzi. Einer Kundin / einem Kunde haben Sie letzte Woche den neuen Katalog mit den aktuellen Produkten und Preisen geschickt. Jetzt möchten Sie mit dieser Kundin / diesem Kunden einen Besuchstermin in der nächsten Woche vereinbaren. Ihr Termin-kalender ist sehr voll, aber folgende Termine sind möglich:

- Dienstag (12.), 10–12 Uhr
- Donnerstag (14.), 13:30–15:15 Uhr
- Freitag (15.), 8–10:30 Uhr

Rufen Sie an und vereinbaren Sie einen Termin.

Aufgabe 2.1 F/Seite 21   **A6**

Situation (A beginnt das Rollenspiel)

Sie arbeiten bei der Firma Holliger & Co. Sie holen Frau Merkel, einen Gast aus Deutschland, um 09:30 Uhr am Flughafen ab und fahren zu Ihrer Firma. Auf dem Weg unterhalten Sie sich mit Ihrem Gast. Stellen Sie Fragen mit Hilfe der Stichwörter:

- Wie / Reise?
- Wetter in Deutschland?
- Erster Besuch?
- Woher in Deutschland?
- Was für eine Stadt?

Beenden Sie das Gespräch mit: „So, da ist die Firma."

Aufgabe 1.5 E/Seite 17 **B5**

Situation (B beginnt das Rollenspiel)

Sie haben ein eigenes Unternehmen und interessieren sich für die Produkte der Firma Marazzi. Letzte Woche haben Sie den neuen Prospekt dieser Firma mit den aktuellen Produkten und Preisen erhalten. Eine Vertreterin / ein Vertreter der Firma Marazzi ruft Sie an, um mit Ihnen einen Termin in der nächsten Woche zu vereinbaren. Sie haben sehr viel zu tun und wenig Zeit, aber Sie möchten sich gern treffen. Mögliche Termine sind:

- Montag (11.), 16–17:30 Uhr
- Dienstag (12.) 15:30–16:30 Uhr
- Donnerstag (14.), 7:30–8:30 Uhr
- Freitag (15.), 9:30–10:30 Uhr.

Sprechen Sie mit der Vertreterin / dem Vertreter und vereinbaren Sie einen Termin.

Aufgabe 2.1 F/Seite 21 **B6**

Situation (A beginnt das Rollenspiel)

Sie sind Ulrike Merkel. Sie besuchen die Firma Holliger & Co. Ein Mitarbeiter/eine Mitarbeiterin holt Sie um 09:30 Uhr am Flughafen ab. Beantworten Sie seine/ihre Fragen mit Hilfe dieser Informationen:

- Sie hatten einen guten Flug, aber das Essen war nicht sehr gut.
- Das Wetter in Deutschland ist sehr schlecht, es regnet schon seit drei Tagen.
- Sie sind zum ersten Mal hier.
- Sie kommen aus Ludwigshafen in Rheinland-Pfalz, wohnen und arbeiten aber seit einigen Jahren in Berlin.
- Berlin ist eine sehr interessante und lebendige Stadt, aber das Leben dort ist manchmal sehr hektisch.

Aufgabe 2.2 E/Seite 23   **A7**

Situation (A beginnt das Rollenspiel)

Sie haben einen Firmenbesucher, Herrn Dr. Schmidt, zum Abendessen in ein Restaurant eingeladen. Dr. Schmidt kommt aus Hamburg und wird wahrscheinlich Ihr Firmenvertreter für das Gebiet Norddeutschland.
Beginnen Sie das Gespräch im Restaurant mit einem Kommentar über seine Heimatstadt. Sie wissen, dass Hamburg eine sehr wichtige Hafenstadt ist. Stellen Sie weitere Fragen:

– über Hamburg
– wo und wie er wohnt
– ob er Familie hat
usw.

Beantworten Sie die Fragen Ihres Gastes anhand Ihrer eigenen Wohn- und Familiensituation.

Aufgabe 2.3 F2/Seite 25   **A8**

Situation 1
Ein Kollege/eine Kollegin braucht Informationen über Frau Neuer von der Firma Hermes Papier. Beantworten Sie seine/ihre Fragen mit Hilfe folgender Angaben:

Ursula Neuer
Personalleiterin   Tel. 0611 634 28-62
Hermes Papier GmbH   Durchwahl Tel. 0611 634 28-66
Rheinstraße 8   Fax 0611 634 28 28
65813 Wiesbaden   E-Mail neuerursula@hermpapier.net

Situation 2
Sie brauchen Informationen über Herrn Klinsmann von der Firma Raemy Computer AG. Bitten Sie einen Kollegen/eine Kollegin darum. Notieren Sie die Antworten:

Telefonnummer (Büro) _____   Faxnummer _____

Durchwahl   _____   E-Mail   _____

Adresse der Firma   _____

                     _____

Situation (A beginnt das Rollenspiel)

Sie sind Dr. Schmidt und besuchen die Firma Phonaxis. Dies ist Ihr erster Besuch. Sie hoffen, der Vertreter für das Gebiet Norddeutschland zu werden. Man hat Sie zum Essen in ein Restaurant eingeladen. Beantworten Sie die Fragen Ihres Gastgebers/Ihrer Gastgeberin mit Hilfe der Informationen unten.
Stellen Sie ihm/ihr dann ähnliche Fragen.

Heimatstadt: Sie kommen aus Hamburg. Hamburg ist eine der größten Hafenstädte der Welt. Auch kulturell bietet die Stadt viel.

Wohnort: Sie wohnen in Blankenese, einem vornehmen Vorort, der an der Elbe liegt. Es ist sehr schön, dort zu leben, die Atmosphäre ist angenehm und in Blankenese ist es sehr ruhig, nicht so hektisch wie in der Großstadt. Die Verkehrsverbindungen sind ausgezeichnet (Bus, Fähre, U-Bahn, S-Bahn). Es gibt gute Schulen und viele Einkaufsmöglichkeiten.

Wohnung: Sie wohnen in einer Villa. Sie haben sechs Zimmer und einen großen Garten.

Familie: Sie sind verheiratet und haben einen Sohn, Nils (10 Jahre alt), und eine Tochter, Anke (8 Jahre alt).

Situation 1
Sie brauchen einige Informationen über Frau Neuer, Personalleiterin bei der Firma Hermes Papier. Bitten Sie einen Kollegen/eine Kollegin darum. Notieren Sie die Antworten:

Telefonnummer (Büro) _____   Faxnummer _____

Durchwahl   _____   E-Mail   _____

Adresse der Firma   _____

_____

Situation 2
Ein Kollege/eine Kollegin braucht Informationen über Herrn Klinsmann von der Firma Raemy Computer AG. Beantworten Sie seine/ihre Fragen mit Hilfe folgender Angaben:

Reinold Klinsmann
Geschäftsführer
Raemy Computer AG   Tel. 0761 794 75-77
Weites Feld 87   Fax 0761 794 75 00
79117 Freiburg   E-Mail raemyr@gmx.com

Aufgabe 3.3 E/Seite 37   **A9**

Situation 1 (B beginnt das Rollenspiel)

Sie unterhalten sich mit einer neuen Kollegin / einem Kollegen in der Mittagspause. Sie / er erzählt, dass sie / er eine neue Wohnung sucht. Sie haben Freunde, die eine Wohnung vermieten wollen. Fragen Sie, was genau die Kollegin / der Kollege sucht und erzählen Sie von der Wohnung Ihrer Freunde.

– Wohnung hat 3 oder 4 Zimmer, EBK, kl. Garten, Parkettfußboden
– Wohngegend: schön, vielleicht etwas laut
– Schule ist in der Nähe, Kindergarten?
– Garage?, Miete?
– Kontaktdaten Ihrer Freunde

Aufgabe 3.5 F/Seite 41   **A10**

Situation 1 (B beginnt das Rollenspiel)

Mit Hilfe des Informationsblatts auf Seite 42 erklären Sie einem Gast, was er/sie in Frankfurt tun und sehen kann. Fragen Sie ihn/sie, wofür er/sie sich besonders interessiert.

Situation 2 (A beginnt das Rollenspiel)

Sie sind auf Geschäftsreise in Frankfurt. Fragen Sie Ihre Gastgeberin/Ihren Gastgeber, was Sie hier tun können. Erklären Sie ihr/ihm, wofür Sie sich besonders interessieren: Sie möchten die wichtigsten Sehenswürdigkeiten besichtigen. Sie interessieren sich für Literatur und Geschichte. Sie möchten auch einen Einkaufsbummel machen. Am Abend möchten Sie gut essen. Sie gehen gern in die Oper.

Situation 1 (B beginnt das Rollenspiel)

Sie unterhalten sich mit einer Kollegin / einem Kollegen in der Mittagspause und erzählen, dass Sie eine neue Wohnung oder ein neues Haus für sich und Ihre Familie (Partner/in und ? Kind/er) suchen. Sagen Sie, was genau Sie suchen und antworten Sie auf die Fragen Ihrer Kollegin / Ihres Kollegen.

– Wohnung/Haus: 4 Zimmer oder mehr, TGL-Bad, große Küche, Garten und Garage wäre schön
– wichtig: Schule und Kindergarten in der Nähe
– ruhige Gegend, nicht so weit von der Firma entfernt
– KM? NK?

Situation 1 (B beginnt das Rollenspiel)

Sie sind auf Geschäftsreise in Frankfurt. Fragen Sie Ihre Gastgeberin/Ihren Gastgeber, was Sie hier tun können. Erklären Sie ihr/ihm, wofür Sie sich besonders interessieren: Sie besuchen gern Museen. Sie interessieren sich für Kunst und Filme. Sie gehen nicht gern in Kaufhäusern einkaufen, lieben aber Flohmärkte. Am Abend möchten Sie die echte Frankfurter Atmosphäre kennen lernen.

Situation 2 (A beginnt das Rollenspiel)

Mit Hilfe des Informationsblatts auf Seite 42 erklären Sie einem Gast, was er/sie in Frankfurt tun und sehen kann. Fragen Sie ihn/sie, wofür er/sie sich besonders interessiert.

Aufgabe 4.3 C2/Seite 49   **A11**

Situation 1

Sie sind Journalist/Journalistin und interviewen die Pressesprecherin/den Pressesprecher der Rosenthal AG. Stellen Sie Fragen und machen Sie sich Notizen zu folgenden Punkten:

Branche _____

Produkte _____

Umsatz _____

Mitarbeiter _____

Situation 2

Sie sind Pressesprecherin/Pressesprecher bei Bahlsen. Beantworten Sie die Fragen eines Journalisten/einer Journalistin mit Hilfe folgender Informationen:

Branche   Nahrungs- und Genussmittelindustrie
Produkte   Gebäck der Marken Leibniz, Bahlsen, Brand, Gebäck und
            Kekse mit und ohne Schokolade
Umsatz   fast € 500 Millionen
Mitarbeiter ca. 2 800

Aufgabe 4.5 D/Seite 52   **A12**

Situation 1

Sie besuchen die Firma Ritter Sport und bitten um folgende Informationen:

Gründungsjahr	_____	Marktanteil	_____
Branche	_____	Auslandgeschäft	_____
Produkte	_____	Mitarbeiterzahl	_____
Umsatz	_____	Produktionsstandort	_____

Situation 2

Sie arbeiten bei Adidas. Bei einer Firmenbesichtigung stellt Ihnen eine Besucherin / ein Besucher einige Fragen. Antworten Sie mit Hilfe folgender Informationen:

Branche: Sportartikelindustrie   Gründungsjahr: 1949
Produkte: Sportschuhe, Bekleidung, Zubehör Gründer: Adolf Dassler
Hauptsitz: Herzogenaurach, Bayern   (daher der Firmenname Adidas, *Adi*
Mitarbeiter: rund 39 000 (Adidas Group)   von Adolf und *das* von Dassler)

Aufgabe 4.3 C2/Seite 49   **B11**

Situation 1

Sie sind Pressesprecherin/Pressesprecher der Rosenthal AG. Beantworten Sie die Fragen eines
Journalisten/einer Journalistin mit Hilfe folgender Informationen:

Branche   Konsumgüterindustrie
Produkte   Porzellan, Keramik, Glas, Besteck
Umsatz   über € 130 Millionen weltweit
Mitarbeiter   an die 1100 weltweit

Situation 2

Sie sind Journalist/Journalistin und interviewen die Pressesprecherin/den Pressesprecher bei
Bahlsen. Stellen Sie Fragen und machen Sie sich Notizen zu folgenden Punkten:

Branche   _____

Produkte   _____

Umsatz   _____

Mitarbeiter   _____

Aufgabe 4.5 D/Seite 52   **B12**

Situation 1

Sie arbeiten bei der Firma Ritter Sport. Beantworten Sie die Fragen einer Besucherin/eines
Besuchers mit Hilfe folgender Informationen:

Gründungsjahr: 1912 (Alfred Ritter)   Marktanteil: ca. 16% in Deutschland
Branche: Nahrungsmittelbranche   Auslandgeschäft: in 90 Ländern weltweit
Produkte: Schokolade, ca. 20 Sorten   Mitarbeiterzahl: ca. 800
Umsatz: 274 Mio. Euro   Produktionsstandort: Waldenbuch, bei Stuttgart

---

Situation 2

Sie machen einen Firmenbesuch bei Adidas. Sie stellen einer Mitarbeiterin/einem Mitarbeiter
Fragen zu folgenden Punkten:

Gründungsjahr _____   Gründer   _____

Branche   _____   Auslandgeschäft _____

Produkte   _____   Mitarbeiter   _____

Hauptsitz   _____

Aufgabe 5.3 C/Seite 61   **A13**

Situation 1

1. Sie haben einen Termin bei Herrn Bertram. Fragen Sie am Empfang, wo sein Büro ist.

2. Sie arbeiten in der kaufmännischen Abteilung der Hammer GmbH und müssen 100 Fotokopien machen. Fragen Sie einen Kollegen, wo Sie das machen können.

Situation 2

1. Sie sind Frau Weber von der Personalabteilung und haben morgen eine Verabredung mit einer neuen Kollegin / einem neuen Kollegen von der Vertriebsabteilung. Erklären Sie am Telefon, wie man von der Vertriebsabteilung in die Kantine kommt.

2. Sie arbeiten in der Produktionsabteilung. Eine neue Mitarbeiterin/ein neuer Mitarbeiter fragt nach dem Weg zum Leiter des Vertriebs.

Benutzen Sie den Plan auf Seite 60.

Aufgabe 5.4 D2/Seite 63   **A14**

Situation 1
Sie sind neu bei der Firma. Stellen Sie sich einer Kollegin/einem Kollegen in der Kantine vor. Fragen Sie nach ihrer/seiner Arbeit. Fangen Sie das Gespräch so an:

- Entschuldigung, ist hier noch frei?
- Ich bin hier neu. Ich arbeite in der ...-Abteilung.
- In welcher Abteilung arbeiten Sie?

Situation 2
In der Kantine stellt sich Ihnen eine neue Mitarbeiterin/ein neuer Mitarbeiter vor.
Beantworten Sie ihre/seine Fragen anhand folgender Angaben:

- Sie sind Projektingenieur.
- Sie arbeiten in der Abteilung Entwicklung/Konstruktion.
- Ihre Aufgaben sind: Kunden beraten, Angebote erstellen, neue Produkte und Prototypen entwickeln, ...

Situation 1

1. Sie arbeiten am Empfang. Eine Besucherin/ein Besucher fragt nach Herrn Bertram. Herr Bertram arbeitet in der kaufmännischen Abteilung. Erklären Sie den Weg.

2. Sie arbeiten in der kaufmännischen Abteilung. Wenn man mehr als 20 Kopien braucht, muss man den Fotokopierer im Kopierraum im Erdgeschoss benutzen. Erklären Sie den Weg dorthin.

Situation 2

1. Sie arbeiten seit einer Woche in der Vertriebsabteilung und sind morgen mit Frau Weber von der Personalabteilung in der Kantine verabredet. Fragen Sie Frau Weber nach dem Weg zur Kantine.

2. Sie arbeiten seit 2 Tagen in der Produktionsabteilung und müssen einige Unterlagen zum Leiter des Vertriebs bringen. Fragen Sie eine Kollegin/einen Kollegen nach dem Weg.

Benutzen Sie den Plan auf Seite 60.

Situation 1

In der Kantine stellt sich Ihnen eine neue Mitarbeiterin/ein neuer Mitarbeiter vor. Beantworten Sie ihre/seine Fragen anhand folgender Angaben:

- Sie sind kaufmännische Angestellte/kaufmännischer Angestellter.
- Sie arbeiten im Sekretariat der Geschäftsleitung.
- Ihre Aufgaben sind: am Telefon Auskünfte geben, die Korrespondenz erledigen, Geschäftsreisen für die Geschäftsleitung organisieren.
- Sie empfangen auch Gäste bei Firmenbesuchen. Ihre Arbeit gefällt Ihnen, sie ist interessant und abwechslungsreich.

Situation 2

Sie sind neu bei der Firma. Stellen Sie sich einer Kollegin/einem Kollegen in der Kantine vor. Fragen Sie nach ihrer/seiner Arbeit. Fangen Sie das Gespräch so an:

- Entschuldigung, ist hier noch frei?
- Ich bin hier neu. Ich arbeite in der ...-Abteilung.
- In welcher Abteilung arbeiten Sie?

Aufgabe 6.1 D/Seite 69   **A15**

Situation 1

Sie müssen eine Hotelreservierung für die CeBIT in Hannover machen. Rufen Sie das Hotel Crowne Plaza an.

- Erkundigen Sie sich, wie viel die Zimmer kosten, wie sie ausgestattet sind und ob das Hotel einen Konferenzraum hat.
- Reservieren Sie auf den Namen Ihrer Firma ein Doppelzimmer und zwei Einzelzimmer mit Bad/ Dusche und WC vom 4.10. bis zum 9.10. (fünf Nächte) sowie einen Konferenzraum am 5.10. für acht Personen von 15:30 Uhr bis 19:30 Uhr.
- Bitten Sie das Hotel, Ihre Reservierung per E-Mail zu bestätigen.

Situation 2

Sie müssen Ihre Reservierung beim Hotel Crowne Plaza ändern.

- Sie brauchen eines der Einzelzimmer nur noch für zwei Nächte, vom 7.10. bis 9.10.
- Rufen Sie das Hotel noch einmal an.
- Fragen Sie, ob Sie Annullierungskosten zahlen müssen.

Aufgabe 6.2 E/Seite 71   **A16**

Situation 1

Sie wollen morgen zwischen 08:00 und 10:00 Uhr mit dem Zug von Gießen nach Berlin Hauptbahnhof fahren. Sie erkundigen sich bei der Bahn nach Zugverbindungen.

Situation 2

Sie arbeiten bei der Reiseauskunft der Bahn. Ein Kunde fragt nach einer Zugverbindung von Freiburg (im Breisgau) Hauptbahnhof nach Würzburg Hauptbahnhof. Geben Sie Auskunft.

Verbindung 1	Dauer: 3:42, fährt täglich	
Freiburg Hbf	ab	07:49
Frankfurt (Main) Hbf	an	09:52
Frankfurt (Main) Hbf	ab	10:21
Würzburg Hbf	an	11:31

Verbindung 2	Dauer: 3:35, fährt täglich	
Freiburg Hbf	ab	07:56
Mannheim Hbf	an	09:24
Mannheim Hbf	ab	09:31
Frankfurt (Main) Hbf	an	10:08
Frankfurt (Main) Hbf	ab	10:21
Würzburg Hbf	an	11:31

Preise

1. Klasse einfach 126,00 Euro; Hin und zurück 252,00 Euro
2. Klasse einfach 78,00 Euro; Hin und zurück 156,00 Euro

Mit BahnCard 25 gibt es 25 % Ermäßigung, mit BahnCard 50 50 % Ermäßigung.
Platzreservierung: 2,50 Euro pro Platz und Richtung

Situation 1

Sie arbeiten an der Rezeption des Hotels Crowne Plaza in Hannover. Sie nehmen eine Zimmerreservierung entgegen. Beantworten Sie die Fragen des Anrufers anhand folgender Informationen:

Hotel Crowne Plaza

Einzelzimmer	€ 155,–
Doppelzimmer	€ 175,–
Konferenzraum	€ 160 pro Tag

Der Zimmerpreis ist inklusive Frühstück, Bedienung und Mehrwertsteuer. Alle Zimmer sind mit Bad,
Dusche, WC, Telefon, Radio, Kabel-TV, Minibar und Internetanschluss ausgestattet.

Situation 2

Einige Tage später ruft die Firma noch einmal an, um die Reservierung zu ändern.
Sie notieren die geänderte Reservierung und bitten die Firma, diese schriftlich zu bestätigen.
Eine kostenlose Annullierung ist möglich, wenn die Bestätigung bis zum 15. August eintrifft.

Situation 1
Sie arbeiten bei der Reiseauskunft der Bahn. Ein Kunde fragt nach einer Zugverbindung von Gießen
nach Berlin Hauptbahnhof. Geben Sie Auskunft.

Verbindung 1		
Gießen	ab	08:04
Kassel-Wilhelmshöhe	an	09:27
Kassel-Wilhelmshöhe	ab	09:43
Berlin Hbf	an	12:21
Dauer: 4:17, fährt täglich		

Verbindung 2		
Gießen	ab	09:35
Hannover Hbf	an	11:56
Hannover Hbf	ab	12:31
Berlin Hbf	an	14:11
Dauer: 4:36, fährt täglich		

Verbindung 3		
Gießen	ab	08:09
Frankfurt (Main) Hbf	an	08:58
Frankfurt (Main) Hbf	ab	09:13
Berlin Hbf	an	13:26
Dauer: 5:03, fährt Mo–Fr		

Preise

1. Klasse einfach zwischen 162,00 und 196,00 Euro; Hin und zurück 324,00 Euro
2. Klasse einfach zwischen 100,00 und 121,00 Euro; Hin und zurück ca. 221,00 Euro

Mit BahnCard 25 gibt es 25% Ermäßigung, mit BahnCard 50 50% Ermäßigung.
Platzreservierung: 2,50 Euro pro Platz und Richtung

Situation 2

Sie wollen morgen zwischen 07:00 und 08:00 Uhr mit dem Zug von Freiburg Hbf nach Würzburg Hbf
fahren. Sie erkundigen sich bei der Bahn nach Zugverbindungen.

Aufgabe 6.3 D/Seite 73   **A17**

Situation 1

Sie arbeiten am Informationsschalter im Flughafen Leipzig-Halle. Beantworten Sie Fragen eines Reisenden anhand folgender Informationen:

- mit dem Zug, dreimal in der Stunde ins Stadtzentrum (Hbf)
- ca. 6 bis 7 Euro
- Abfahrt vom Bahnhof im Flughafen
- Dauer ca. 15 Minuten
- Taxi, ein Auto mieten

Situation 2

Sie sind auf Geschäftsreise und Ihre Maschine ist gerade in Hannover gelandet. Es ist 11:30 Uhr und Sie möchten an die CeBIT. Sie gehen an den Informationsschalter und erkundigen sich, wie Sie am besten zur CeBIT gelangen.

Situation 1

Sie sind am Flughafen gelandet und wollen ins Hotel Faustus im Stadtzentrum. Sie gehen im Flughafen an den Informationsschalter und erkundigen sich nach:

- Fahrtmöglichkeiten ins Stadtzentrum von Leipzig
- Preis
- Abfahrtsort, Abfahrtszeiten
- Dauer der Fahrt
- andere Fahrtmöglichkeiten

Situation 2

Sie arbeiten am Informationsschalter des Flughafens in Hannover. Sie geben einem Messebesucher Auskunft. Verwenden Sie folgende Informationen:

- S-Bahn Nr. 5 bis zum Hauptbahnhof
- Umsteigen: U-Bahn Linie 8 zum Messegelände Eingänge Nord 1 und 2
- Der S-Bahn-Bahnhof befindet sich zwischen den Terminals B und C.

Transkriptionen

KAPITEL 1 (CD 1)

1.1 B   (Track 1, 0:46 Min.)

Kollegin: Sie wählen zuerst die internationale Vorwahl, also von uns aus null null. Dann wählen Sie die Landes-vorwahl, das heißt vier neun für Deutschland. Danach kommt die Ortsvorwahl für München. Sie lassen da die Null weg und wählen somit acht neun. Dann kommt die Rufnummer der Firma, also siebzehn dreiunddreißig. Auf diesem Brief steht auch Frau Seidels Durchwahlnummer. Wenn Sie direkt nach der Rufnummer zwei vier wählen, erreichen Sie Frau Seidel direkt.

1.1 D   (Track 2, 2:44 Min.)

Anruf 1

Auskunft = As / Anrufer = An

As Platz 87. Auslandsauskunft, guten Tag. Welches Land, bitte?
An Guten Tag, Österreich.
As Welcher Ort?
An Wien.
As Wie heißt der Teilnehmer?
An Die Firma Flora-Print.
As Einen Moment … Sie wählen die null null vier drei für Österreich.
    Die Vorwahl ist eins für Wien, die Nummer ist zwei-undneunzig –
    sechsundsechzig null eins.
An Also null null vier drei für Österreich, dann eins – neun zwei –
    sechs sechs – null eins.
As Ja!
An Vielen Dank, auf Wiederhören.

Anruf 2

Auskunft = As / Anrufer = An

As Platz 19. Auslandsauskunft, guten Tag. Welches Land, bitte?
An Frankreich. Was ist die Nummer der Firma Intrex Tra-ding in Paris?
As Bleiben Sie am Apparat. Sie wählen null null dreiund-dreißig für
    Frankreich. Die Vorwahl für Paris ist eins, die Rufnum-mer ist dreißig – dreiundfünfzig – zweiundzwanzig – sechsundvierzig.
An Könnten Sie das bitte in einzelnen Ziffern sagen?
As Ja, drei null – fünf drei – zwei zwei – vier sechs.
An Drei null – fünf drei – zwei zwei, vier sechs. Gut, danke, auf Wiederhören.

Anruf 3

Auskunft = As / Anrufer = An

As Platz 56. Internationale Auskunft, guten Tag. Welches Land, bitte?
An Spanien.
As Ort, bitte.
An Madrid.
As Wie heißt der Teilnehmer?
An Unisys España.
As Moment, bitte … Sie wählen die null null drei vier für Spanien, die Vorwahl für Madrid ist eins, die Nummer ist vier – null drei- sechs null – null null.
An Könnten Sie das bitte nochmal etwas langsamer sagen?
As Null null drei vier für Spanien. Die Vorwahl für Madrid ist eins und die Rufnummer der Firma ist vier – null drei – sechs null – null null.
An Vielen Dank, auf Wiederhören.

Anruf 4

Auskunft = As / Anrufer = An

As Platz 17. Auslandsauskunft, guten Tag. Welches Land, bitte?
An Die Schweiz. Geben Sie mir bitte die Nummer von International Watch
    und Co. in Schaffhausen.
As Einen Moment, bitte … Die Vorwahl ist fünf zwei für Schaffhausen, die Ruf-Nummer ist: sechs – achtund-zwanzig – fünfundfünfzig – vierundfünfzig.
An Also, ich wiederhole: fünf, zwei, sechs, achtundzwan-zig, fünfundfünfzig,
    vierundfünfzig. Und was ist die internationale Vor-wahl für die Schweiz?
As Von hier aus wählen Sie null null vier eins.
An Recht vielen Dank, auf Wiederhören.
As Bitte schön, auf Wiederhören.

1.2 A   (Track 3, 0:49 Min.)

Ansage 1:
Kein Anschluss unter dieser Nummer.

Ansage 2:
Die Rufnummer des Teilnehmers hat sich geändert. Bitte wählen Sie:
sechs – zweiundsiebzig – fünfundachtzig – sechzig.
Ich wiederhole.
Sechs – zweiundsiebzig – fünfundachtzig – sechzig.

Ansage 3:
Die Ortsvorwahl für Hinterliederbach hat sich geändert. Bitte wählen Sie vor der Rufnummer zwei null.

Ansage 4:
Alle Auskunftsplätze sind zur Zeit besetzt! Bitte legen Sie nicht auf!
Sie werden gleich bedient.

1.2 B   (Track 4, 1:19 Min.)

Anruf 1:

Zentrale = Z, Frau Henrik = H, Herr Schuster = S

Z   Videco, Frankfurt, guten Tag.
H   Hallo, ist da die Firma Videco?
Z   Videco, Frankfurt, guten Tag.
H   Guten Tag. Hier spricht Henrik von der Firma Dansk
     Data in Aalborg.
     Kann ich bitte Herrn Schuster von der Einkaufs-
     abteilung sprechen?
Z   Einen Moment bitte, ich verbinde.
H   Danke.
S   Schuster, guten Tag.
H   Spreche ich mit Herrn Schuster?
S   Ja, wer ist am Apparat?
H   Hier ist Henrik, Dansk Data, Aalborg, guten Tag

Anruf 2:

Zentrale = Z, Herr Werner = W, Frau Pfeiffer = P

Z   Schulze, Nürnberg, guten Morgen.
W   Guten Morgen. Hier spricht Udo Werner von der
     Firma Novartis in Basel. Könnte ich bitte Frau Pfeiffer
     sprechen?
Z   Einen Moment, bitte, ich verbinde.
W   Ja, ich warte.
Z   Ich verbinde.
P   Pfeiffer.
W   Guten Tag, Frau Pfeiffer, hier Udo Werner, Novartis,
     Basel.

Anruf 3:

Teilnehmer = T, Anrufer = A

T   Guten Tag.
A   Guten Tag. Ist da die Firma Lasco?
T   Nein, hier ist eine Privatnummer. Sie sind falsch
     verbunden!
A   Oh, Verzeihung! Ich habe falsch gewählt.
     Auf Wiederhören!
T   Auf Wiederhören!

1.2 C   (Track 5, 1:14 Min.)

Herr Bergstein = B, Frau Villemin = V

B   Klein & Weber, Bergstein am Apparat, guten Tag!
V   Guten Tag. Mein Name ist Simone Villemin.
B   Wie bitte?
V   Simone Villemin aus Frankreich. Könnte ich bitte
     Herrn Kandinski von der Exportabteilung sprechen?
B   Hallo? Ich kann Sie leider kaum verstehen. Die
     Verbindung ist sehr schlecht. Wen möchten Sie
     sprechen bitte?
V   Herrn Kandinski von der Exportabteilung.
B   Tut mir leid. Herr Kandinski ist zur Zeit auf
     Dienstreise. Er kommt erst in zwei Wochen zurück.
     Kann ich Sie vielleicht mit jemand anderem aus der
     Exportabteilung verbinden?

V   Nein, danke. Ich muss ihn persönlich sprechen. Kann
     er mich zurückrufen, sobald er wieder da ist?
B   Ja, selbstverständlich. Können Sie Ihren Namen buch-
     stabieren?
V   Ja, gerne. Simone Villemin, V-I-L-L-E-M-I-N.
B   Und Ihre Telefonnummer?
V   0033 für Frankreich, dann 67 43 90 58.
B   Danke. Herr Kandinski wird Sie am 16. September
     zurückrufen.
     Auf Wiederhören.
V   Auf Wiederhören.

1.2 D   (Track 6, 2:04 Min.)

Anruf 1:

Zentrale = Z, Herr Ellis = E, Büro = B

Z   Firma Braun, guten Tag.
E   Guten Tag. Hier spricht John Ellis von Computec in
     London. Kann ich bitte Herrn Müller von der Verkaufs-
     abteilung sprechen?
Z   Kleinen Moment, bitte, ich verbinde.
B   Guten Tag, Steinke. Apparat Müller.
E   Guten Tag, Ellis. Computec London. Ich möchte bitte
     Herrn Müller sprechen.
B   Herr Müller ist im Moment leider nicht da. Wollen Sie
     zurückrufen?
E   Wann kann ich ihn erreichen?
B   Sie können es in einer halben Stunde wieder
     probieren.
E   Gut, dann rufe ich in einer halben Stunde wieder an.
B   Ist gut, auf Wiederhören, Herr Ellis!
E   Auf Wiederhören!

Anruf 2:

Zentrale = Z, Frau Gomez = G, Büro = B

Z   Firma Braun, guten Tag.
G   Guten Tag, Gomez, Firma Rumasa, Barcelona.
     Könnte ich bitte Frau Bach sprechen?
Z   Gerne. Ich verbinde Sie.
B   Büro Bach, guten Tag.
G   Guten Tag, Gomez, Firma Rumasa, Barcelona.
     Ist Frau Bach zu sprechen, bitte?
B   Wie bitte? Die Verbindung ist sehr schlecht!
G   Hier ist Gomez, Firma Rumasa, Barcelona.
     Ich möchte Frau Bach sprechen.
B   Frau Bach ist in einer Besprechung. Soll ich etwas
     ausrichten?
G   Nein, danke. Ich muss sie persönlich sprechen.
     Können Sie mir sagen, wann ich sie erreichen kann?
B   Am besten rufen Sie morgen zurück. Sie ist ab
     08:30 Uhr im Büro.
G   Gut, dann rufe ich morgen früh kurz nach halb neun
     wieder an.
     Vielen Dank.
B   Bitte schön, auf Wiederhören.

Anruf 3:
Zentrale = Z, Herr Lundström = L, Büro = B

Z   Firma Braun, guten Tag.
L   Guten Tag, hier spricht Lundström, Svenska Marketing, Stockholm.
Ich möchte bitte Herrn Weber sprechen.
Z   Einen Moment, ich stelle Sie durch.
B   Linz am Apparat.
L   Könnte ich bitte Herrn Weber sprechen?
B   Es tut mir leid. Herr Weber ist auf Geschäftsreise.
L   Ach so, wissen Sie, ob er diese Woche wieder im Büro ist?
B   Er ist erst nächste Woche wieder da. Kann ich Ihnen helfen?
G   Nein, danke. Ich rufe am Montag wieder an. Vielen Dank.
B   Gern geschehen, auf Wiederhören!

1.3 A   (Track 7, 1:52 Min.)

Anruf 1:
Rezeption = R, Herr Green = G

R   Hotel Arabella, guten Tag.
G   Guten Tag. Mein Name ist Green, von der Firma Midfast, Birmingham.
Ich möchte gern Informationsmaterial über Ihre Konferenzeinrichtungen. Bei wem müsste ich das bestellen?
R   Einen Moment, bitte, ich verbinde Sie mit der Bankettabteilung.
G   Mit welcher Abteilung, bitte?
R   Mit der Bankettabteilung.
G   Danke.

Anruf 2:
Zentrale = Z, Frau Arup = A, Herr Schmidt = S

Z   Hedemann GmbH, guten Tag.
A   Guten Tag, Arup, Lunaprint, Kopenhagen. Es geht um die Reklamation wegen einer mechanischen Presse, die Sie uns geliefert haben.
Mit wem spreche ich am besten darüber?
Z   Ich verbinde Sie mit dem Kundendienst. Bleiben Sie am Apparat.
S   Schmidt, guten Tag.
A   Guten Tag, ist das der Kundendienst?
S   Ja, worum handelt es sich, bitte?
A   Es geht um eine Reklamation wegen einer mechanischen Presse, die Sie uns geliefert haben.
S   Wie ist Ihr Name, bitte?
A   Arup, Lunaprint, Kopenhagen.
S   Könnten Sie mir bitte die Bestellnummer angeben?
A   Die Bestellnummer ist 183/1B.
S   Vielen Dank. Und was ist das Problem?

Anruf 3:
Zentrale = Z, Frau Bethmann = B, Herr Weyhe = W

Z   EOC Normalien, Lüdenscheid, guten Tag.
B   Guten Tag, hier spricht Bethmann, Firma Arco, Paris.
Ich rufe wegen einer Rechnung an, die ich gerade bekommen habe.
Wer ist dafür zuständig?
Z   Ich verbinde Sie mit Herrn Weyhe von der Buchhaltung.
B   Entschuldigung, wie war der Name noch mal?
Z   Weyhe.
B   Danke.
W   Weyhe am Apparat.
B   Guten Tag, hier spricht Bethmann, Firma Arco, Paris.
Ich habe eine Frage zu Ihrer letzten Rechnung, Nummer 781 A.
W   Dafür bin ich leider nicht zuständig. Da sprechen Sie am besten mit Frau Weiß. Bleiben Sie am Apparat, ich verbinde Sie weiter.
B   Danke.

1.3 C   (Track 8, 1:09 Min.)

Nummer 1:
Jäger:
J wie Julius, Ä wie Ärger, G wie Gustav, E wie Emil, R wie Richard

Nummer 2:
Münch:
Martha, Übermut, Nordpol, Cäsar, Heinrich

Nummer 3:
Swarowski:
Samuel, Wilhelm, Anton, Richard, Otto, Wilhelm, Samuel, Kaufmann, Ida

Nummer 4:
Zeiss:
Z wie Zacharias, E wie Emil, I wie Ida, Samuel, Samuel

Nummer 5:
Weyhe:
Wilhelm, Emil, Ypsilon, Heinrich, Emil

Nummer 6:
Quantas:
Q wie Quelle, U wie Ulrich, A wie Anton, N wie Nordpol, T wie Theodor,
A wie Anton, S wie Samuel

1.3 D (Track 9, 1:27 Min.)

Zentrale = Z, Frau Lionne = L, Herr Riller = R

Z   Schäfer GmbH, guten Tag.
L   Guten Tag, mein Name ist Lionne. Ich rufe aus Paris an, von der Firma Raphael. Ich hätte gern einen Katalog Ihrer Produkte.
    Bei wem muss ich das bestellen?
Z   Kleinen Moment, ich verbinde Sie mit der Marketing-abteilung.
L   Danke.
R   Riller, guten Tag.
L   Guten Tag, Lionne, Firma Raphael, Paris. Können Sie mir bitte Ihren neuesten Katalog schicken?
R   Natürlich. Sagen Sie mir Ihren Namen, bitte.
L   Lionne.
R   Oh, das müssen Sie mir aber buchstabieren.
L   Also, L wie Ludwig, I wie Ida, O wie Otto, Nordpol, Nordpol, Emil.
R   Und Wie heißt Ihre Firma?
L   Firma Raphael.
R   Wie schreibt man das, bitte?
L   Richard, Anton, Paula, Heinrich, Anton, Emil, Ludwig.
R   Und wie lautet die Adresse?
L   24 rue Levallois. Ich buchstabiere: Ludwig, Emil, Viktor, Anton, Ludwig, Ludwig, Otto, Ida, Samuel. Haben Sie das?
R   Ja.
L   Und die Postleitzahl ist 75017 Paris.
R   Also, ich wiederhole: Frau Lionne, Firma Raphael, 24 rue Levallois, 75017 Paris.
L   Ja, richtig.
R   Gut, Frau Lionne. Wir schicken Ihnen heute den Katalog zu.

1.4 A (Track 10, 1:13 Min.)

Anruf 1:

Büro = B, Frau Lehmann = L

B   Bartsch, guten Tag.
L   Guten Tag, hier Lehmann von der Firma Strehl, Hamburg.
    Kann ich Herrn Kuhn sprechen?
B   Herr Kuhn ist gerade beim Mittagessen. Soll er Sie zurückrufen?
L   Nein, ich melde mich etwas später wieder.
B   Ist gut, auf Wiederhören!
L   Auf Wiederhören.

Anruf 2:

Büro = B, Herr Harrap = H

B   Linz.
H   Guten Tag, hier spricht Harrap, Svenska Marketing, Stockholm.
    Ich möchte Frau Lehmann sprechen.
B   Frau Lehmann ist in einer Sitzung.
H   Ach so. Wissen Sie, wie lange das dauert?
B   Die Sitzung dauert wahrscheinlich den ganzen Tag. Wollen Sie eine Nachricht hinterlassen?
H   Ja, können Sie Frau Lehmann sagen …

Anruf 3:

Büro = B, Herr Moore = M

B   Werner am Apparat.
M   Guten Tag, Moore, Cooper Engineering, Manchester. Könnte ich bitte Herrn Hubert sprechen?
B   Herr Hubert spricht gerade auf der anderen Leitung. Soll er Sie zurückrufen?
M   Ja, bitte.
B   Könnten Sie Ihren Namen wiederholen, bitte?
H   Moore.

1.4 B (Track 11, 1:04 Min.)

Anruf 1:

Büro = B, Frau Dupont = D

B   Sekretariat Kaderli, grüß Gott, Zimmermann am Apparat.
D   Guten Tag, hier spricht Chantal Dupont von der Firma AWN in Lyon.
    Kann ich bitte Herrn Kaderli sprechen?
B   Es tut mir leid. Herr Kaderli ist gerade mit einem Kunden zusammen.
    Soll ich etwas ausrichten?
D   Ja, sagen Sie Herrn Kaderli, dass ich angerufen habe. Es geht um einen Besuchstermin. Könnte er mich zurückrufen? Ich bin bis 18:00 Uhr im Büro.
B   Ist gut, wie war Ihr Name nochmal?
D   Dupont. Ich buchstabiere: Dora, Ulrich, Paula, Otto, Nordpol, Theodor.
B   Und von welcher Firma sind Sie?
D   Von der Firma AWN, Lyon.
B   Hat Herr Kaderli Ihre Telefonnummer?
D   Ja, ich glaube schon, aber ich gebe sie Ihnen noch einmal: drei drei vierundzwanzig, neunundsiebzig, sechsunddreißig, achtzig.
B   Ich wiederhole: drei drei vierundzwanzig, neunundsiebzig, sechsunddreißig, achtzig.
    Also, Frau Dupont, ich sage Herrn Kaderli Bescheid.
D   Vielen Dank, auf Wiederhören.
B   Auf Wiederhören.

Anruf 2: (Track 12, 0:54 Min.)

Büro = B, Herr Petterson = P

B Büro Herr Lutz, Schmidt am Apparat.
P Hier spricht Olaf Petterson von Teleteknik in Viborg. Ist Herr Lutz
zu sprechen, bitte?
B Nein, es tut mir leid. Herr Lutz hat heute den ganzen Tag Urlaub.
P Ach, könnten Sie ihm etwas ausrichten?
B Aber gerne!
P Es handelt sich um unseren Auftrag Nr. 2814 B. Könnte er ihn so schnell wie möglich per Fax bestätigen?
B Ist gut, ich richte es Herrn Lutz aus.
P Und könnte er mich zurückrufen? Es ist ziemlich dringend.
B Ja, gut. Können Sie mir Ihren Namen bitte wiederholen?
P Ja, ich heiße Petterson, P wie Paula, E wie Emil, Theodor, Theodor,
E wie Emil, R wie Richard, S wie Samuel, O wie Otto, N wie Nordpol, und ich bin von der Firma Teleteknik, Viborg.
B Teleteknik, Viborg. Also, kein Problem, Herr Petterson, ich sage Herrn Lutz Bescheid.
P Recht vielen Dank. Auf Wiederhören.
B Nichts zu danken. Auf Wiederhören.

Anruf 3: (Track 13, 1:00 Min.)

Büro = B, Herr Cipolli = C

B Fischer am Apparat.
C Guten Tag. Cipolli, Firma Castelli, Bologna. Ist Herr Becker da, bitte?
B Nein, es tut mir leid. Herr Becker ist nicht an seinem Platz.
Ich glaube, er ist beim Mittagessen.
C Ach so. Könnte ich eine Nachricht hinterlassen?
B Ja, selbstverständlich.
C Es geht um die Lieferung unseres Auftrags Nr. 123 B, die gerade eingetroffen ist. Sagen Sie ihm, dass die Maschine defekt ist. Könnte er so bald wie möglich jemanden vom Kundendienst zu uns schicken?
Die Sache ist dringend.
B Ist gut, ich richte es Herrn Becker aus.
Könnten Sie mir Ihren Namen bitte wiederholen?
C Ja, Cipolli, C wie Cäsar, Ida, Paula, Otto, Ludwig, Ludwig, Ida.
Haben Sie das?
B Ja, und Sie sind von der Firma Castelli, Bologna?
C Ja.
B Alles klar. Herr Cipolli, ich sage Herrn Becker Bescheid.
C Danke, auf Wiederhören.
B Gern geschehen, auf Wiederhören.

1.4 D (Track 14, 1:22 Min.)

Ansage 1:
Guten Tag. Die Firma Clemens Wollgast und Co. ist wegen Betriebsferien geschlossen. Wenn Sie eine Nachricht hinterlassen möchten, geben Sie Ihren Namen, Ihre Telefonnummer und Adresse an. Wir rufen Sie dann am Montag, dem 8. August, wieder zurück. Bitte sprechen Sie nach dem Signalton.

Ansage 2:
Guten Tag. Hier ist die Firma Klaus Forsbach, Telefonnummer drei – fünfundneunzig – fünfzig – siebenundzwanzig. Persönlich erreichen Sie uns montags bis freitags von 8 bis 12 Uhr 30 und von 13 bis 17 Uhr. Sie können uns gerne eine Nachricht mit Ihrem Namen, Ihrer Adresse und gegebenenfalls Ihrer Kundennummer hinterlassen. Wir rufen Sie dann zurück. Bitte sprechen Sie nach dem folgenden Signalton.

Ansage 3:
Jochen Schmidt, guten Tag. Unser Büro ist zur Zeit nicht besetzt. Bitte rufen Sie unsere Filiale in Hamburg unter null vier null – fünf – fünfunddreißig – vierundachtzig an oder versuchen Sie mich unter null vier null – neunundsechzig – vierzig – sechsundfünfzig zu erreichen. Danke.

1.5 A (Track 15, 2:09 Min.)

Dialog 1:
Herr Sutter = S, Herr Langmann = L

L Langmann, guten Tag.
S Guten Tag. Sutter von der Firma Bader AG. Ich rufe Sie wegen des Projekts in St. Gallen an. Wir hatten ja deswegen schon vor einem Monat telefoniert.
L Ja, richtig. Ich habe inzwischen Ihre Unterlagen bekommen.
Ich habe sie mit großem Interesse gelesen. Ich muss sagen, das Projekt gefällt mir sehr gut.
S Das freut mich.
L Allerdings möchte ich noch über einige Punkte genauer sprechen.
S Selbstverständlich. Deswegen rufe ich Sie auch an. Ich bin nämlich die ganze nächste Woche in München. Könnten wir uns treffen?
L Gern. Wann könnten Sie denn kommen?
S Ich reise am Montag an. Passt Ihnen am Montag um 14 Uhr?
L Montag, 14 Uhr. Ja, kein Problem. Ich schlage vor, wir treffen uns hier im Haus.
S Gut. Dann bis Montag. Auf Wiederhören.
L Wiederhören.

Dialog 2:
Herr Langmann = L, die Sekretärin von Herrn Sutter = Ss

L   Langmann
Ss Guten Tag. Kleger von der Firma Bader AG. Ich rufe Sie an im Auftrag von Herrn Sutter. Es geht um Ihren Termin am nächsten Montag.
L   Ja?
Ss Herr Sutter kommt leider erst etwas später in München an.
     Könnten wir den Termin auf 16 Uhr verschieben?
L   Ja, natürlich. Das ist kein Problem. Wir können das Gespräch auch gern auf einen anderen Tag legen. Mittwoch zum Beispiel.
Ss Nein, das ist nicht nötig. 16 Uhr klappt auf jeden Fall.
L   Gut, dann bleiben wir bei Montag, 16 Uhr.
Ss Vielen Dank. Auf Wiederhören.
L   Wiederhören.

Dialog 3:
Sekretärinnen von Herrn Langmann = Sl und
Herrn Sutter = Ss

Ss Bader AG, Kleger am Apparat.
Sl Guten Tag, hier spricht Frau Fischer, die Sekretärin von Herrn Langmann.
     Es geht um den Termin mit Herrn Sutter am nächsten Montag. Herr Langmann muss den Termin leider absagen. Er muss kurzfristig verreisen. Wäre es Herrn Sutter Donnerstagvormittag recht?
Ss Nein, leider nicht. Herr Sutter ist am Donnerstag den ganzen Tag unterwegs.
Sl Wann kann ich ihn erreichen?
Ss Morgen früh.
Sl Gut, dann rufe ich morgen gegen 8:00 Uhr zurück, um einen neuen Termin mit Herrn Sutter zu vereinbaren.
Ss In Ordnung. Ich sag' Herrn Sutter Bescheid.
Sl Vielen Dank. Auf Wiederhören.
Ss Auf Wiederhören.

1.5 B   (Track 16, 1:41 Min.)

Dialog 1:
Herr Beck = B, Herr Werner = W

B   Beck.
W Grüß Gott, Herr Beck, hier Werner, Firma Kluwer, Wien.
B   Ah, guten Tag Herr Werner.
W Es geht um den Termin am nächsten Montag.
B   Ja, um 9 Uhr 30, nicht wahr?
W Ja, ich muss leider absagen, weil wir hier in der Firma im Augenblick Probleme haben.
B   Ach so, das tut mir leid.
W Könnte ich Sie nächste Woche wieder anrufen, um einen neuen Termin zu vereinbaren? Bitte entschuldigen Sie die Unannehmlichkeit.

Dialog 2:
Frau Doliwa = D, Herr Riedel = R

D   Doliwa am Apparat.
R Guten Morgen, Frau Doliwa, hier spricht Riedel, Lieberoth GmbH.
     Wie Sie wissen, haben wir einen Termin für heute Nachmittag um 14 Uhr. Ich glaube aber, das schaffe ich nicht. Ich stehe im Moment auf der Autobahn im Stau. Bis wann sind Sie im Büro?
D   Das ist kein Problem, Herr Riedel, ich bin bis 17 Uhr hier.
R Ah, gut. Ich melde mich später wieder, sobald ich weiß, wann ich ankomme. Auf Wiederhören.
D   Auf Wiederhören.

Dialog 3:
Herr Fleck = F, Frau Laval = L

F   Fleck, guten Tag.
L   Guten Tag, Herr Fleck, hier spricht Yvette Laval, Intrex Trading, Paris. Ich habe mit Ihnen übermorgen um 11 Uhr einen Termin.
     Ich muss den Termin aber leider absagen, weil die Fluglotsen hier am Flughafen streiken. Könnten wir den Termin vielleicht auf nächste Woche verschieben?
F   Ja, ich schaue in meinem Terminkalender nach. Mmh, das ist schwierig. Nächste Woche bin ich nämlich drei Tage auf der Messe in Köln.
     Vielleicht am Freitagnachmittag, ab 15 Uhr.
L   Einverstanden. Also, Freitagnachmittag, 15 Uhr 30. Auf Wiederhören, Herr Fleck.
F   Auf Wiederhören, Frau Laval.

KAPITEL 2 (CD 1)

2.1 A   (Track 17, 0:55 Min.)

Dialog 1:
Frau Brett = FB, Herr Becker = HB

FB Entschuldigen Sie bitte! Sind Sie Herr Becker?
HB Ja.
FB Ich bin Anna Brett von der Firma Norco.
HB Wie bitte, wie war Ihr Name?
FB Brett.
HB Ach, guten Morgen, Frau Brett!
FB Guten Morgen, Herr Becker! So, gehen wir? Mein Auto steht draußen.

Dialog 2:
Empfangsdame = E, Dr. Kullmann = K, Frau Andersen = A

E Guten Tag, bitte schön?
K Guten Tag. Mein Name ist Kullmann von der Firma Hansen und Co.
   Ich habe einen Termin bei Frau Andersen.
E Einen Moment bitte, ich rufe an… Ja, Frau Andersen kommt gleich. Möchten Sie so lange Platz nehmen?
K Ja, danke.
A Ach, Herr Dr. Kullmann, guten Tag. Schön, Sie wiederzusehen!
   Wie geht es Ihnen?
K Danke, gut, und Ihnen?
A Gut, danke. So, kommen Sie bitte mit ins Büro.

2.1 D   (Track 18, 0:48 Min.)

Frau Brett = FB, Herr Becker = HB

FB Wie war die Reise, Herr Becker?
HB Ganz gut, danke. Wir hatten nur fünf Minuten Verspätung.
FB Sehr gut! Und wie ist das Wetter in Deutschland? So schön wie hier?
HB Nein, wir hatten schlechtes Wetter.
FB Ach, schade! Ist das Ihr erster Besuch hier, Herr Becker?
HB Nein, letztes Jahr war ich zwei Wochen hier im Urlaub.
FB Aha. Und wie hat es Ihnen hier gefallen?
HB Prima! Wir hatten wunderschönes Wetter.
FB Das ist gut. Woher kommen Sie denn in Deutschland?
HB Aus Regensburg in Bayern. Ich wohne und arbeite aber seit vielen Jahren in Hamburg.
FB Ach so! Ich war auch einmal in Hamburg. Das ist eine schöne Stadt, nicht wahr?
HB Ja, das stimmt.
FB So, das ist die Firma, da sind wir schon.

2.2 A   (Track 19, 0:43 Min.)

Frau Brett = FB, Herr Becker = HB

FB So, Herr Becker, gehen wir rein.
HB Danke schön.
FB Bitte schön. Herr Olson kommt in fünf Minuten. Möchten Sie so lange hier Platz nehmen?
HB Danke.
FB Darf ich Ihren Mantel nehmen?
HB Ja, vielen Dank.
FB Möchten Sie etwas trinken? Tee oder Kaffee? Wir haben auch Apfelsaft, Orangensaft, Mineralwasser oder Cola.
HB Ich möchte bitte eine Tasse Kaffee.
FB Wie trinken Sie den Kaffee? Mit Milch?
HB Mit Milch, aber ohne Zucker.
FB Gut. … So, hier ist der Kaffee. Möchten Sie auch ein Stück Kuchen?
HB Nein, danke. Ich bin nicht hungrig.

2.2 C   (Track 20, 1:00 Min.)

Frau Brett = FB, Herr Becker = HB

HB Frau Brett, entschuldigen Sie bitte!
FB Ja, bitte schön?
HB Könnte ich vielleicht nach Deutschland faxen?
FB Aber selbstverständlich! Schreiben Sie Ihr Telefax und ich schicke es für Sie ab.
HB Oh, vielen Dank!

HB Frau Brett, kann ich bitte etwas fotokopieren?
FB Das ist leider nicht möglich. Der Fotokopierer ist im Moment kaputt.
HB Ach, so!

HB Frau Brett, entschuldigen Sie, darf man hier rauchen?
FB Nein, das geht leider nicht. Das ist hier nicht erlaubt.
HB Wie schade!

HB Frau Brett!
FB Ja, bitte?
HB Entschuldigen Sie bitte noch mal, aber wo ist die Toilette?
FB Kommen Sie mit. Ich zeige sie Ihnen.

HB Frau Brett, könnten Sie mir Ihren neuen Prospekt zeigen?
FB Der neue Prospekt ist leider noch nicht fertig.
HB Ach, so!
FB Aber ich kann Ihnen gerne einen alten holen.
HB Danke, den habe ich schon.

2.3 B   (Track 21, 0:41 Min.)

Frau Brett = FB, Herr Becker = HB, Herr Olson = HO,
Frau Scheiber = FS, Herr Könemann = HK

FB Herr Becker, darf ich vorstellen?
    Das ist unser Geschäftsführer, Herr Olson.
HB Sehr angenehm.
HO Guten Tag, Herr Becker.
FB Ich bin die Sekretärin von Herrn Olson. Und Frau
    Scheiber, die Leiterin Vertrieb und Marketing, kennen
    Sie ja.
HB Guten Tag, Frau Scheiber, wie geht es Ihnen?
FS Sehr gut, danke.
FB Das ist Herr Doll, unser technischer Leiter.
HB Ah, Herr Doll, guten Tag!
FB Dann Herr Könemann, der Werksleiter.
HB Entschuldigung, wie war Ihr Name?
HK Könemann.
HB Sehr erfreut.
FB Und das ist Herr Becker, unser neuer Vertreter für
    Norddeutschland.
HO Ja dann, Herr Becker, herzlich willkommen bei Norco!

2.3 D   (Track 22, 1:00 Min.)

Sprecher:

(spricht das Alphabet)

2.4 A   (Track 23, 0:54 Min.)

Frau Brett = FB, Herr Becker = HB

FB So, Herr Becker, hier ist das Tagesprogramm für Ihren
    Besuch bei uns.
    Zuerst sehen Sie einen kurzen Videofilm über
    unsere Firma, und dann um 11 Uhr findet eine
    Betriebsbesichtigung statt.
HB Mit Ihnen?
FB Ja, und auch mit Herrn Könemann, dem Werksleiter.
    Um 12 Uhr 30 essen wir dann zu Mittag.
HB Hier in der Firma?
FB Nein, in einem kleinen Lokal hier in der Nähe. Nach
    dem Essen haben Sie ein Gespräch mit unserem
    technischen Leiter, Herrn Doll. Er erklärt Ihnen alle
    technischen Aspekte unserer Produkte.
HB Gut.
FB Und um 15 Uhr 30 nehmen Sie an einer Sitzung
    unserer Marketing-Gruppe teil.
HB Da lerne ich die Marketingstrategie besser kennen.
FB Ja, genau. Und zum Schluss gibt es Abendessen mit
    Herrn Olson und mir.
HB Wo essen wir denn?
FB In einem netten Restaurant in der Innenstadt. Ist
    Ihnen das recht?
HB Ja, danke, alles wunderbar.

2.5 B   (Track 24, 2:09 Min.)

Frau Brett = FB, Herr Becker = HB, Herr Könemann = HK

FB So, Herr Becker, ich zeige Ihnen unsere Firma. Hier ist
    der Empfang, wie Sie sehen.
HB Mm. Sehr schön.
FB Und hier nebenan ist das Büro des Geschäftsführers,
    Herrn Olson. Durch diese Tür geht es zur Abteilung
    Vertrieb und Marketing. Hier koordinieren wir die
    Arbeit unserer Vertreter.
HB Also, mit dieser Abteilung werde ich direkt zu tun
    haben.
FB Ja, das stimmt. Hier nebenan ist die Buchhaltung.
    Hier machen wir die Kontoführung und rechnen die
    Löhne und Gehälter ab.
HB Ah, hier bezahlt man also meine Provision!
FB Ja, genau. Und daneben ist die Einkaufsabteilung.
    Hier kaufen wir das Material für die Fertigung ein.
HB Und was für ein Zimmer ist das gegenüber?
FB Das ist unser Konferenzzimmer. Möchten Sie
    reinschauen?
HB Ah, sehr imposant!
FB Ja, nicht wahr? Gehen wir weiter. Hier links sehen Sie
    das Konstruktionsbüro. Hier entwerfen wir Designs
    für neue Modelle.
HB Mit Computern?
FB Mit Computern und auch manuell. Dort in der Ecke
    links ist die Küche und gegenüber sind die Toiletten.
    Und das ist die Arbeitsvorbereitung. Hier planen wir
    die Produktion für die kommenden Wochen.
    So, und jetzt gehen wir links in die Fertigungshalle.
HB Hier fertigen Sie also die Produkte an. Mmh, das ist
    aber beeindruckend! Und alles so modern!
FB Ja, dieses Jahr haben wir in neue Maschinen
    investiert. Dort in der Ecke sitzt Herr Könemann
    und überwacht die Produktion. Gehen wir rein.
HB Hallo, Herr Könemann.
HK Tag, Herr Becker. So, jetzt machen wir einen
    Rundgang durch die Fertigungshalle. Kommen Sie
    mal mit.
HB Was ist das da drüben?
HK Das ist unser Prüfraum. Dort testen wir unsere
    Produkte.
HB Sehr interessant.
HK Ja, dann gehen wir mal weiter.
HB Also, das war wirklich interessant.
    Und was für ein Gebäude ist das da draußen?
HK Das ist unser Fertiglager. Dort lagern wir die
    Fertigprodukte.
HB Aha!
FB So, das wäre dann alles. Gehen wir zurück in das
    Verwaltungsgebäude.
HB Recht herzlichen Dank für den interessanten
    Rundgang, Frau Brett. Die Büros sind sehr schön und
    die Fabrik ist höchst modern. Ich freue mich
    auf die Zusammenarbeit mit Norco!
FB Vielen Dank, Herr Becker.

KAPITEL 3 (CD 1)

3.1 B   (Track 25, 1:20 Min.)

Herr Salzmann = S, Herr Weber = W

S   Herr Weber, darf ich Sie irgendwann diese Woche zum Abendessen einladen?

W   Gern, Herr Salzmann, das ist sehr freundlich von Ihnen.

S   Würde Ihnen Donnerstag passen?

W   Ja, das wäre prima, da habe ich nichts anderes vor.

S   Gut. Essen Sie gern chinesisch? Ich kenne nämlich ein sehr gutes chinesisches Restaurant, das Restaurant Lotus. Die Küche ist ausgezeichnet und die Atmosphäre dort finde ich sehr angenehm.

W   Es tut mir leid, aber die chinesische Küche schmeckt mir nicht besonders.

S   Wie wär's dann mit einem traditionellen Restaurant?

W   Ja, ehrlich gesagt wäre mir das lieber.

S   Dann kann ich zwei Restaurants empfehlen, die Burg oder das Restaurant König. Die Burg ist in Steffisburg, also nicht weit von Thun; das Restaurant hat eine Freiterrasse, da kann man wunderbar draußen sitzen. Aber das Restaurant König hat, glaube ich, die bessere Speisekarte.

W   Dann gehen wir doch ins Restaurant König.

S   Gut, dann reserviere ich einen Tisch für Donnerstagabend.

W   Wann und wo sollen wir uns treffen?

S   Ich hole Sie so um halb sieben mit dem Auto von Ihrem Hotel ab.

W   Vielen Dank für die Einladung, Herr Salzmann. Ich freue mich drauf!

3.2 B   (Track 26, 1:40 Min.)

Herr Weber = W, Herr Salzmann = S,
die Empfangsdame = E, der Kellner = K

S   Guten Abend, ich habe einen Tisch reserviert auf den Namen Salzmann, Firma Bühler.

E   Ja, Herr Salzmann, kommen Sie bitte mit. Ich hoffe, dieser Tisch passt Ihnen?

S   Ja, wunderbar. Danke schön.

K   So, meine Herrschaften, möchten Sie einen Aperitif?

S   Gerne. Was nehmen Sie als Aperitif, Herr Weber?

W   Ich hätte gern einen Campari.

S   Also, einen Campari und für mich einen Orangensaft, bitte.

K   Sehr gerne. Und hier ist die Speisekarte.

W   Mmh, sieht alles sehr lecker aus. Nehmen Sie eine Vorspeise?

S   Ja. Ich glaube, ich nehme einen gemischten Salat.

W   Ich auch.

S   Und was nehmen Sie als Hauptgericht?

W   Können Sie mir etwas empfehlen?

S   Die Lachsforelle mit Safranschaum soll hier besonders gut sein. Das ist eine Spezialität der Gegend.

W   Ach nein, danke, Safran mag ich nicht. Ich nehme lieber etwas anderes. Ich glaube, ich probiere die Schweinsfiletmedaillons mit Senfsauce. Und was nehmen Sie?

S   Ich nehme die Lachsforelle mit Weißweinrisotto. Also, Herr Ober, wir möchten bestellen!

K   Bitte schön, meine Herrschaften, was bekommen Sie?

S   Zweimal gemischter Salat, und dann die Schweinsfiletmedaillons mit Senfsauce für den Herrn und die Lachsforelle mit Safranschaum für mich.

K   Jawohl. Und was möchten Sie dazu trinken?

S   Kein Alkohol für mich. Ich muss noch Auto fahren. Ich nehme ein Mineralwasser mit Kohlensäure. Aber Sie, Herr Weber, Sie dürfen ruhig etwas trinken. Ich fahre Sie dann nach Hause.

W   Dann nehme ich bitte ein Glas Rotwein, den La Côte, und auch eine Flasche Mineralwasser mit Kohlensäure.

K   Ist gut, vielen Dank.

3.2 D   (Track 27, 0:47 Min.)

Herr Salzmann = S, der Kellner = K

K   So, meine Herrschaften, hat es Ihnen geschmeckt?

S   Ja, es hat sehr gut geschmeckt.

K   Möchten Sie noch etwas bestellen?

S   Ich nehme noch einen Apfelstrudel mit Vanillesauce. Und Sie, Herr Weber, möchten Sie auch ein Dessert?

W   Nein, danke, ich bin satt. Bringen Sie mir aber bitte einen Espresso.

S   Für mich auch. Und bringen Sie mir die Rechnung, bitte.

K   Geht die Rechnung zusammen oder getrennt?

S   Alles zusammen, bitte.

K   So, Ihr Dessert, zwei Espressi und die Rechnung, bitte schön.

S   Danke. […] Herr Ober, bitte! Ich glaube, die Rechnung stimmt nicht.

K   Einen Moment bitte …

3.3 B   (Track 28, 2:13 Min.)

Herr Salzmann = S, Herr Weber = W

S   Herr Weber, Sie sind doch aus Frankfurt. Was für eine Stadt ist Frankfurt?

W   Frankfurt ist eine Großstadt. Sie ist das Finanzzentrum Deutschlands. Hier befindet sich die Börse. In Frankfurt gibt es auch viele Sehenswürdigkeiten wie das Goethehaus, den Römer usw. Frankfurt bietet aber auch kulturell sehr viel. Wir haben viele Museen und das Angebot für Unterhaltung und Freizeit ist groß. Auch der Flughafen hat internationale Bedeutung.

S   Das klingt ja sehr schön. Wohnen Sie direkt in der Stadt?

W   Ja, in der Nähe des Stadtzentrums.

S   Wie ist es denn, dort zu wohnen?

W Sehr schön. Trotz der Zentrumslage ist es dort ziemlich ruhig. Allerdings kommen immer mehr Touristen und das Parken wird immer schwieriger.

S Ja, das Parken ist immer ein Problem in einer Stadt. Sogar hier in Thun! Wie gehen Sie denn zur Arbeit? Fahren Sie mit dem Auto?

W Nein, ich gehe zu Fuß, dafür brauche ich nur eine Viertelstunde.

S Und wie wohnen Sie, wenn ich fragen darf?

W Ich habe eine Wohnung im dritten Stock eines Altbaus.

S Gehört die Wohnung Ihnen?

W Nein, es ist eine Mietwohnung.

S Ah ja. Wie groß ist sie denn?

W Ungefähr 110 Quadratmeter. Ich habe vier Zimmer und einen Balkon.
Und wo wohnen Sie, Herr Salzmann?

S Ich wohne in Spiez. Das ist ungefähr zwanzig Minuten von Thun, Richtung Interlaken.

W Und wie wohnt man dort?

S Es ist eigentlich eine schöne Wohngegend. Wir wohnen praktisch im Grünen und sind in zehn Minuten am Thunersee.
In knapp einer Stunde sind wir in den Berner Alpen.

W Und wie gehen Sie zur Arbeit? Gibt es gute Verkehrsverbindungen?

S Ich fahre meistens mit dem Auto. Die Straßenverbindungen sind sehr gut. Ich nehme auch den Wagen, da ich oft Kunden besuchen muss und so mobiler bin.

W Und wie wohnen Sie?

S Ich habe ein Haus mit einem großen Garten und Blick auf den Thunersee.

W Wie schön für Sie, einen Garten hätte ich auch gern. Aber in einer Großstadt ist das fast unmöglich.
Gehört das Haus Ihnen?

S Ja, ich habe das Haus vor etwa sechs Jahren gebaut.

W Und wie groß ist es?

S 120 Quadratmeter. Es hat fünf Zimmer.

W Hat es auch einen Keller?

S Ja, eine Waschküche und einen Keller.

3.3 D   (Track 29, 1:19 Min.)

Herr Salzmann = S, Herr Weber = W

S Und haben Sie auch Familie, Herr Weber?

W Ja. Darf ich Ihnen ein paar Fotos zeigen?

S Gern.

W Hier, das sind meine Kinder, Matthias und Claudia.

S Wie nett, wie alt sind sie denn?

W Matthias ist jetzt zehn und Claudia ist zwölf Jahre alt. Und das ist meine Frau, Barbara. Sie arbeitet im Krankenhaus, sie ist Krankenschwester.

S Sehr nett. Ich müsste auch irgendwo ein Familienfoto haben … ja, da ist es. Das bin ich und der da, das ist mein Sohn, Thomas.

W Ah ja, wie alt ist er?

S Er wird bald 18 und geht noch zur Schule. Nächstes Jahr macht er die Matura.

W Und wer sind die anderen?

S Das ist meine Schwester Sonia mit ihrem Mann und das ist mein Bruder Johann mit seiner Frau. Mein Schwager Toni arbeitet übrigens auch bei Bühler, vielleicht lernen Sie ihn noch kennen.

W Und wer ist der Kleine da?

S Das ist mein Neffe Stefan, der Sohn meiner Schwester Sonia.
Mein Bruder und seine Frau haben noch keine Kinder.

W Und Ihre Frau?

S Meine Ex-Frau ist nicht dabei. Ich bin seit zwei Jahren geschieden und erziehe meinen Sohn alleine.

W Ach so, das tut mir leid.

S Na ja, das passiert heutzutage so oft.

3.4 B   (Track 30, 1:55 Min.)

Herr Weber = W, Herr Salzmann = S

S Was machen Sie denn in Ihrer Freizeit, Herr Weber?

W Na ja, ich gehe gern mit meiner Familie im Park oder im Wald spazieren. Sonntags machen wir auch gern einmal Ausflüge und besuchen alte Burgen, Schlösser und Kirchen. Ich interessiere mich nämlich sehr für Geschichte.

S Ja, Ihre Gegend muss historisch sehr interessant sein. Interessieren Sie sich auch für Musik und Theater?

W Ja. Ich höre gern die Beatles, überhaupt Rock und Pop aus den späten 70er-Jahren und aus den 80er-Jahren. Aber ich höre auch gern klassische Musik. Meine Frau und ich gehen gern ins Konzert und ins Theater. Und Sie?

S Eigentlich gehe ich lieber ins Kino. Dann fahre ich nach Bern. Dort ist die Auswahl größer.

W Ach so. Ich interessiere mich auch sehr für Filme. Ja, ich sehe mir gern die James Bond-Filme an.

S Ich persönlich mag die alten Hitchcock-Filme am liebsten.
Die werden oft im Fernsehen gezeigt.

W Ja, mir gefallen die Hitchcock-Filme auch. Sehen Sie viel fern?

S Nein, dazu fehlt mir die Zeit. Nur Fußball sehe ich mir im Fernsehen an, und natürlich die Nachrichten, wenn ich zu Hause bin.

W Treiben Sie Sport?

S Ja, ziemlich viel.

W Was für Sportarten treiben Sie denn?

S Im Winter fahre ich mit meinem Sohn Ski. Meistens gehen wir ins Berner Oberland oder auch ins Bündnerland. Im Sommer fahre ich Rad und gehe regelmäßig joggen, um fit zu bleiben.

W Ich müsste auch wieder einmal joggen gehen. Ich bin überhaupt nicht mehr fit. Haben Sie noch andere Hobbys?

S Ja, ich interessiere mich sehr für Literatur.

W Wer sind denn Ihre Lieblingsautoren?

S Da gibt es einige: Ich lese gern die Bücher von Martin Suter, Peter Stamm, Bernhard Schlink …

W Ah ja „Der Vorleser" von Schlink. Das Buch hat mir auch gefallen…

3.5 C   (Track 31, 2:10 Min.)

Herr Salzmann = S, Herr Weber = W

S Bis 1989 wohnten Sie in Ost-Berlin. Von der DDR aus konnte man nur selten in die westlichen Länder fahren. Sind Sie seit der Wiedervereinigung viel gereist?

W O ja, natürlich.

S Wohin sind Sie denn letztes Jahr in Urlaub gefahren?

W In die Schweiz. Wir haben letztes Jahr nur im Winter Urlaub gemacht. Da waren wir eine Woche in Davos.

S Ah, Davos kenne ich. Ich war selber vor zwei Jahren im Skiurlaub dort. Wie hat es Ihnen gefallen?

W Sehr gut. Die Landschaft ist herrlich, und die Schneeverhältnisse waren ausgezeichnet. Die Leute sind sehr sympathisch und hilfsbereit.

S Ja, das fand ich auch. Wo haben Sie denn gewohnt?

W Wir haben in einer Familienpension gewohnt. Es war recht gemütlich. Die Familie war sehr freundlich, der Service war ausgezeichnet und das Essen hat uns sehr gut geschmeckt. Die Pension befand sich in der Nähe der Bergbahnen.

S Klingt prima! Und was haben Sie dort gemacht?

W Meine Frau und ich sind viel gewandert und sind zum ersten Mal mit Schneeschuhen gelaufen. Das war ein Spaß. Mein Sohn Matthias und meine Tochter Claudia haben Snowboardkurse genommen.
Zweimal bin ich Ski gefahren. Ich wäre gerne öfters gegangen, aber meine Frau kann nicht Ski fahren und ich wollte sie nicht so oft alleine lassen. Sie ist dann jeweils wenn ich Ski gefahren bin, zum Schlittschuhlaufen gegangen. Davos ist wunderbar!

S Ja, mir hat es dort auch gefallen. Und wie war das Wetter?

W Herrlich, wir hatten die ganze Woche Sonne!

S Wie schön! Und haben Sie schon Reisepläne für dieses Jahr?

W Ja, dieses Jahr wollen wir im Sommer nochmals eine Woche nach Davos gehen. Ich wandere gern und die ganze Familie fährt gern Mountainbike.
Es soll in Davos sehr interessante Mountainbikestrecken geben. Die zweite Woche werden wir ins Tessin fahren. Man hat mir gesagt, Ascona soll sehr schön sein, aber wir haben uns noch nicht entschieden, wohin wir genau gehen.

3.5 D   (Track 32, 1:15 Min.)

Herr Salzmann = S, Herr Weber = W

W Und Sie? Wo waren Sie letztes Jahr im Urlaub?

S Wir sind in die Türkei geflogen und haben zwei Wochen in Side verbracht.

W Aha! Da war ich noch nie. Wie hat es Ihnen denn gefallen?

S Es war wunderbar. Wir haben uns richtig erholt!

W Tatsächlich! Wo haben Sie denn gewohnt?

S Wir haben in einem Luxushotel gewohnt, direkt am Strand. Der Service war ausgezeichnet und das Essen hat uns sehr gut geschmeckt.
Die Leute waren auch sehr freundlich.

W Und was haben Sie dort gemacht?

S Natürlich haben wir viel am Strand gelegen und sind auch jeden Tag geschwommen. Wir haben die römischen Ruinen besucht, die direkt in Side sind. Wir haben auch einige Ausflüge mit dem Bus ins Landesinnere gemacht. Und abends sind wir durch die Basare gebummelt. Es war ein sehr schöner Urlaub.

W Und wie war das Wetter?

S Meistens herrlich, nur am letzten Tag hat es geregnet.

W Klingt ja wunderbar. Da muss ich auch mal hin! Und haben Sie schon Reisepläne für dieses Jahr?

S Ja, dieses Jahr fahren wir wahrscheinlich nach Spanien.

KAPITEL 4 (CD 2)

4.1 B1   (Track 1, 1:10 Min.)

Dialog 1
Interviewer = I, Frau = F

I Eine Frage, bitte. Was sagt Ihnen der Name Kind?
F Kind? Die machen doch Hörgeräte, oder?

Dialog 2
Interviewer = I, Frau = F

I Guten Tag, Kennen Sie den Namen IKEA?
F IKEA? Klar! Möbel aus Schweden.

Dialog 3
Interviewer = I, Mann = M

I Entschuldigung, kennen Sie den Namen Varta?
M Varta? Ja, natürlich. Batterien von Varta habe ich zu Hause.

Dialog 4
Interviewer = I, Frau = F

I Verzeihung, darf ich Sie fragen, was der Name Roche für Sie bedeutet?
F Roche? Das bedeutet für mich in erster Linie pharmazeutische Produkte.

Dialog 5
Interviewer = I, Mann = M

I Was für ein Image hat für Sie der Name Ferrari?
M Ah, Ferrari. So einen habe ich mir immer gewünscht! Das bedeutet für mich schnelle, rassige, rote Sportwagen.

4.1 C   (Track 2, 1:42 Min.)

Dialog 1
Interviewer = I, Frau = F

I Was produziert die Firma Schwarzkopf?
F Schwarzkopf produziert Toilettenartikel, vor allem Haarpflegeprodukte, also Shampoo, Haarspray, und so was. Aber die machen auch Deos, glaube ich.

Dialog 2
Interviewer = I, Mitarbeiter = Mr

I Sie arbeiten bei der Firma Grundig. Was für Produkte hat Ihre Firma?
Mr Grundig ist eine Firma, die Geräte der Unterhaltungselektronik herstellt, zum Beispiel Radios, Fernsehapparate und Stereoanlagen.

Dialog 3
Interviewer = I, Mitarbeiterin = Mn

I Bayer ist ein Unternehmen, das unter anderem Arzneimittel herstellt. Was für Produkte hat Ihre Firma?
Mn Bayer produziert und vertreibt rezeptfreie Arzneimittel gegen Schmerzen, Husten und Erkältung. Unser bekanntestes Produkt ist Aspirin.

Dialog 4
Interviewer = I, Hoeness = H

I Das neuste Produkt des Münchner Kraftfahrzeugherstellers MAN ist ein sehr moderner Reisebus. Ich mache mit Herrn Hoeness eine Probefahrt. Herr Hoeness, können Sie uns über den neuen Reisebus etwas sagen?
H Ja, unser zweistöckiger Fernreisebus hat eine ganze Reihe von Neuheiten und technischen Raffinessen …

Dialog 5
Interviewer = I, Mitarbeiter = Mr

I Sagen Sie mir bitte, was stellt eigentlich die Firma Siemens her?
Mr Siemens hat ganz unterschiedliche Produkte. Die Firma ist Ihnen wahrscheinlich durch Haushaltsgeräte bekannt. Wir sind aber auch in der Informationstechnik tätig. Vielleicht haben Sie ein Siemens-Telefon mit Anrufbeantworter zu Hause?

4.2 B   (Track 3, 1:58 Min.)

Dialog 1
Interviewer = I, Mitarbeiter = Mr

I Was für eine Firma ist Mobility Car Sharing?
Mr Mobility Car Sharing ist ein Dienstleistungsunternehmen. Es glänzt mit moderner Technologie. Man kann rund um die Uhr über das Internet ein Auto reservieren.

Dialog 2
Interviewer = I, Mitarbeiterin = Mn

I In welcher Branche ist Nespresso tätig?
Mn Nespresso ist eine Marke der Firma Nestlé, welche in der Nahrungsmittelindustrie tätig ist.
I Was ist Nespresso?
Mn Nespresso stellt Kaffeekapseln her.

Dialog 3
Interviewer = I, Mitarbeiter = Mr

I Die Daimler AG ist der größte Automobilhersteller Deutschlands. Ist die Firma auch in anderen Bereichen aktiv?
Mr Ja, außer im Automobilbau auch in den Bereichen Luft- und Raumfahrt, Bahnsysteme sowie im Finanzdienstleistungs-Sektor.

Dialog 4

Interviewer = I, Mitarbeiterin = Mn

I In welcher Branche ist die Firma IWC tätig?
Mn IWC mit Firmensitz in Schaffhausen ist in der Uhrenindustrie tätig.
IWC ist ein traditionsreiches Unternehmen und wurde 1868 gegründet. Wir sind 500 Mitarbeiter und stellen 70 000 Uhren pro Jahr her.
Das Unternehmen legt Wert auf klassischen und hochwertigen Uhrenbau und Schweizer Uhrenkunst.

Dialog 5

Interviewer = I, Mitarbeiter = Mr

I Was ist Boss für eine Firma?
Mr Die Boss AG ist ein Unternehmen mit Sitz in Metzingen, Baden-Württemberg. Unser Profil umfasst zwei Herrenmarken mit unterschiedlichen Linien, aber auch Damen- und sogar Kinderbekleidung.

4.2 E1   (Track 4, 1:17 Min.)

Dialog 1

Interviewer = I, Mitarbeiterin = Mn

I Was für eine Firma ist Lufthansa?
Mn Lufthansa ist Deutschlands größte Fluggesellschaft. Sie hat Flugverbindungen in alle Welt.

Dialog 2

Interviewer = I, Mitarbeiter = Mr

I Was für eine Firma ist Aldi?
Mr Aldi ist eine Supermarktkette, die Lebensmittel zu Niedrigpreisen verkauft.

Dialog 3

Interviewer = I, Mitarbeiterin = Mn

I Können Sie mir sagen, was Neckarmann macht?
Mn Neckarmann ist ein Versandhaus, das heißt, wir verkaufen Waren per Katalog und schicken sie dann dem Kunden ins Haus.

Dialog 4

Interviewer = I, Mitarbeiterin = Mn

I Sagt Ihnen der Name Harrods etwas?
Mr Ja, Harrods ist eines der bekanntesten Kaufhäuser in England.

Dialog 5

Interviewer = I, Mitarbeiterin = Mn

I Was für eine Firma ist Allianz?
Mn Die Allianz ist eine der größten Versicherungs-gesellschaften.

Dialog 6

Interviewer = I, Mitarbeiter = Mr

I In welchem Bereich ist Planzer tätig?
Mr Wir sind im Bereich Transport tätig. Wir sind eine Speditionsfirma, das heißt, wir transportieren Waren per LKW. Planzer-Transporte sind häufig auch auf Schienen unterwegs.

4.3 A3   (Track 5, 0:55 Min.)

a) einhundertsechsunddreißigtausendsiebenhundert
b) sechsundsechzig Millionen sechshundertachtund-neunzigtausend
c) zweitausendfünfzehn
d) sechs Milliarden achtundsiebzig Millionen
e) sieben Komma sechs Prozent
f) neunzehnhundertsechsundachtzig
g) siebzehntausendfünfhundert
h) fünfzehn Komma sechs Prozent
i) eine Million zweihunderttausend
j) acht Komma neun Milliarden

4.3 B1   (Track 6, 2:06 Min.)

Dialog 1

Interviewer = I, Mitarbeiterin = Mn

I In welcher Branche ist die Firma BASF tätig?
Mn BASF ist das führende Chemie-Unternehmen der Welt. Wir produzieren unter anderem Chemikalien, Chemiefasern, Produkte aus Öl und Gas sowie Pflanzenschutzmittel und Pharmazeutika.
I Und wie viel beträgt Ihr Umsatz?
Mn BASF erzielte 2008 einen Umsatz von mehr als 62 Milliarden Euro. Die BASF ist börsennotiert in Frankfurt, London und Zürich.
I Wie viele Mitarbeiter beschäftigt Ihre Firma?
Mn Wir beschäftigen weltweit ungefähr 97 000 Mitarbeiterinnen und Mitarbeiter.

Dialog 2

Interviewer = I, Mitarbeiter = Mr

I Was für eine Firma ist Kessel?
Mr Kessel Auto-Electric ist eine Firma, die Elemente für die Kraftfahrzeugindustrie herstellt.
I Und wie groß ist die Firma?
Mr Unser Umsatz liegt zwischen neunhunderttausend und einer Million Euro und wir haben siebenund-zwanzig Angestellte.

Dialog 3
Interviewer = I, Mitarbeiterin = Mn

I   In welcher Branche ist Jack Wolfskin tätig?
Mn Wir produzieren seit 1981 erfolgreich Funktions-
    kleidung, Ausrüstung und Schuhe für Outdoor-
    aktivitäten, für Reise und Freizeit. Mit unserer
    Ausrüstung können Sie sich jederzeit draußen zu
    Hause fühlen, das ist unser Motto.
I   Und wie hoch ist Ihr Umsatz?
Mn Deutschland ist immer noch der größte Markt für
    unsere Produkte, aber wir sind im letzten Jahr auch
    in Europa gewachsen, besonders in Österreich,
    Italien und den Benelux-Staaten. 2009 haben wir
    einen Umsatz von rund 251 Millionen Euro erzielt.
I   Und wie viele Personen beschäftigen Sie?
Mn Wir haben circa 400 Mitarbeiterinnen und
    Mitarbeiter.

4.4 B2   (Track 7, 2:32 Min.)

Interviewerin = I, Sprecher = S

I   Was für ein Unternehmen ist die Metro Group?
S   Die Metro Group gehört zu den wichtigsten
    Handelsunternehmen im Inland, aber auch im
    Ausland. Der Konzern hat eine klare Struktur:
    An der Spitze steht die Metro AG als strategische
    Management-Holding. Das operative Geschäft teilt
    sich dann in 4 Geschäftsfelder: Großhandel,
    Lebensmitteleinzelhandel, Nonfood-Fachmärkte
    und Warenhäuser. Sicherlich haben Sie schon von
    real,- Media Markt, Saturn oder Galeria Kaufhof
    gehört oder sogar schon dort eingekauft. All diese
    Märkte gehören zur Metro Gruppe.
I   Seit wann gibt es die Metro Group?
S   Die Metro AG gibt es seit 1996. Sie entstand durch die
    Verschmelzung verschiedener Handelsunternehmen,
    die es schon mehr oder weniger lange davor gab. Die
    Geschichte des Kaufhofs zum Beispiel reicht bis ins
    Jahr 1879 zurück. Saturn gibt es seit 1961, der erste
    Media Markt öffnete 1979.
I   Wo sitzt die Gruppe?
S   Die Metro AG hat ihren Sitz in Düsseldorf. Die GmbHs
    sind an verschiedenen Orten. Die Media-Saturn-
    Holding GmbH sitzt in Ingolstadt, die Galeria Kaufhof
    GmbH in Köln und die real,-SB-Warenhaus GmbH in
    Mönchengladbach.
I   Haben diese Unternehmen nur Standorte in
    Deutschland oder auch in anderen Ländern Europas?
S   Wie ich bereits sagte, orientiert sich die Gruppe
    international.
    Die Expansion ins Ausland war und ist sehr wichtig
    und nicht nur in Europa, sondern weltweit. Insgesamt
    ist die Metro Group an über 2100 Standorten
    vertreten und zwar in 33 Ländern Europas, Afrikas
    und Asiens.
I   Wie viele Mitarbeiter beschäftigt die Gruppe?
S   Bei so vielen Standorten brauchen wir natürlich auch
    eine entsprechende Mitarbeiterzahl. Die Gruppe
    beschäftigt insgesamt ca. 300 000 Mitarbeiter aus
    150 verschiedenen Ländern.
I   Und wie hoch ist Ihr Umsatz?
S   2009 hatten wir einen Umsatz von rund
    65,5 Milliarden Euro.
    Auch hier ist das Ausland wichtig, denn über 59 % des
    Umsatzes haben wir außerhalb Deutschlands erzielt.
I   Vielen Dank für Ihre Information.
S   Sehr gerne.

4.5 A1   (Track 8, 3:20 Min.)

Sprecherin = S, B1= Besucher 1, B2 = Besucher 2

S   Guten Morgen, meine Damen und Herren. Herzlich
    willkommen in unserer Zentrale hier in Hausenburg.
    Zuerst möchte ich Ihnen gern etwas über den REBUS-
    Konzern erzählen. REBUS ist in erster Linie ein
    Versandhaus, das Waren per Katalog und Online-
    Bestellung verkauft und den Kunden direkt ins Haus
    schickt. Insgesamt gibt es mehr als 60 Kataloge pro
    Saison. Den deutschen Hauptkatalog mit dem Motto
    „Was Trend ist, gibt's bei REBUS" kennen Sie sicher. Er
    bietet auf 1 300 Seiten über 70 000 Produkte an, vor
    allem Bekleidung und Schuhe. Darüber hinaus gibt es
    hier neben den Saisonkatalogen pro Jahr mehr als 60
    Spezialkataloge, zum Beispiel „Multimedia",
    „Baumarkt", „Winzigklein", „Gartencenter" oder
    „Trendsetter" – trendige Mode für junge Leute.
    Selbstverständlich alles kostenlos. REBUS existiert
    seit 1952. Im Herbst 1953 brachte unser Firmen-
    gründer, Ralf Ernst Bussmann, den ersten Katalog
    heraus. Dieser erschien in einer Auflage von
    300 Exemplaren, alle handgebunden, mit einem
    Angebot von 28 Paar Schuhen.
    Er hatte übrigens 14 Seiten. Und nach 50 Jahren ist
    die REBUS-Handelsgruppe mit 51 Unternehmen in
    20 Ländern in Europa, Amerika und Asien ein Global
    Player und eines der umsatzstärksten
    Versandunternehmen der Welt. Der Konzern
    erwirtschaftet einen Jahresumsatz von knapp
    10 Milliarden Euro, etwa die Hälfte davon im Ausland.
    Er beschäftigt rund 50 000 Menschen. Übrigens: Die
    Hälfte seines Umsatzes erzielte REBUS 2009 im
    Internet und ein Viertel seiner Kunden sind jünger als
    25 Jahre! In den REBUS-Katalogen sind oder waren
    auch viele Top-Models zu sehen. Der Sitz der Handels-
    gruppe ist, wie gesagt, nach wie vor in Hausenburg. In
    jüngster Zeit hat REBUS seine Position in Groß-
    britannien, dem zweitgrößten Versandhandelsmarkt
    Europas, entscheidend verstärkt. REBUS hat das
    britische Handelsunternehmen Goodmans Plc,
    London, übernommen. Dadurch hat REBUS seinen
    Marktanteil in Großbritannien von bisher 8 auf
    15 Prozent erhöht. Der REBUS-Konzern plant, seine
    Marktposition in den großen Versandhandelsmärkten
    auszubauen und aktuelle Trends bereitzuhalten. Das

war also ein kurzer Überblick über unsere Firma. Möchte jemand eine Frage stellen?

B1 Entschuldigung, können Sie den Umsatz bitte wiederholen?

S Ja, wir haben einen Umsatz von knapp 10 Milliarden Euro weltweit.
Hat jemand weitere Fragen?

B2 Ja, können Sie etwas über Ihre Aktivitäten in Spanien sagen?

S Ja, gerne. Wir verfolgen in Spanien ebenfalls einen Wachstumskurs. Deshalb hat REBUS beschlossen, ein Joint-Venture mit dem Textileinzelhandelsunternehmen Espatex zu gründen.

B2 Danke.

S So, meine Damen und Herren, beginnen wir jetzt mit unserer Betriebsbesichtigung, wenn Sie mir bitte folgen würden …

KAPITEL 5 (CD 2)

5.1 B1 (Track 9, 2:14 Min.)

Herr Grimm = G, Frau Schmidt = S

G So, Frau Schmidt, hier ist das Organigramm unserer Firma:
Wie Sie sehen, wird die Firma von einer Geschäftsführung geleitet, unser Geschäftsführer heißt Dr. Schwarz. Organisatorisch ist die Firma in sieben Hauptbereiche aufgeteilt.

S Das sind Vertrieb, Produktion und so weiter?

G Ja, genau.

S Und einige Bereiche sind in verschiedene Abteilungen aufgeteilt?

G Ja, richtig. Der Bereich Vertrieb zum Beispiel umfasst die Abteilungen Marketing und Werbung, den Außendienst und den Innendienst. Zum kaufmännischen Bereich gehören die Abteilungen Rechnungswesen und Buchhaltung, Materialwirtschaft und Logistik sowie die Lagerhaltung.

S Aha, und wo arbeite ich?

G Sie arbeiten bei uns in drei Abteilungen. So bekommen Sie einen guten Überblick über die Firma und die verschiedenen Abteilungen. Zuerst arbeiten Sie 3 Monate im Vertrieb. Die Leiterin dort ist Frau Suter. Am Anfang arbeiten Sie im Innendienst, dort unterstehen Sie Frau Peer.

S Frau Peer, P–E–E–R?

G Ja, genau. Die nächsten 3 Monate verbringen Sie in der kaufmännischen Abteilung.

S Und wer ist dort der Chef?

G Unser kaufmännischer Leiter ist Herr Knupfer. Sie fangen in der Abteilung Material-Wirtschaft und Logistik an. Der Abteilungs-Chef ist Herr Leuenberger.

S Und danach?

G Die letzten vier Wochen sind Sie in der Produktion. Der Produktionschef ist Herr Neuenschwander.

S Wie schreibt man den Namen?

G N–E–U–E–N–S–C–H–W–A–N–D–E–R: Neuenschwander.

S Ja prima! Das hört alles sehr gut an. So lerne ich verschiedene Bereiche kennen und erfahre etwas über die Tätigkeiten und Anforderungen an die Mitarbeiter. Jetzt muss ich mir erstmal die Namen merken …

G Das wird schon!

5.1 D (Track 10, 1:36 Min.)

Herr Grimm = G, Frau Schmidt = S

S Herr Grimm, könnten Sie mir bitte noch etwas mehr über die Hammer GmbH erzählen?

G Wie Sie ja wissen, sind wir sind eine Maschinenbaufirma. Die wichtigste Abteilung bei uns ist Also die Entwicklung und Konstruktion. Die Projektingenieure in dieser Abteilung besprechen mit den Kunden, was diese genau haben möchten, und entwickeln dann entsprechende Produkte. Das Konstruktionsbüro baut die Prototypen.

S Und die Abteilung Fertigung und Montage montiert die Produkte dann.

G Ja, genau. Und zwar fertigen wir nach dem Just-in-Time-System. Das bedeutet, dass unsere Lieferanten das richtige Produktions-Material zum richtigen Zeitpunkt und in der richtigen Menge an den Fertigungsort liefern müssen. Das spart Geld. Wir kaufen nämlich nur das ein, was wir brauchen, und wir haben keine hohen Lagerkosten.

S Ach so. Ich verstehe. Und wer organisiert das?

G Das alles macht die Abteilung Materialwirtschaft und Logistik.
Dabei arbeitet sie natürlich eng mit den Abteilungen Entwicklung und Konstruktion zusammen. Diese Abteilungen informieren sie, welches Rohmaterial sie brauchen und zu welchem Termin.

S Aha. Und der Vertrieb verkauft dann die Produkte, richtig?

G Ja, durch sein Netz von Außendienstmitarbeitern. Die Mitarbeiter im Außendienst betreuen unsere Stammkunden, suchen aber auch immer neue Kunden. Dafür ist das Marketing natürlich auch ganz wichtig.

5.2 A2 (Track 11, 1:04 Min.)

Herr Grimm = G, Frau Schmidt = S

S Herr Grimm, können Sie mir etwas zu den Arbeitszeiten in der Firma sagen?

G In der Fabrik gibt es Schichtarbeit, aber in der Verwaltung haben wir gleitende Arbeitszeit. Die Blockzeit geht von 9 Uhr bis 16 Uhr.

S Und wann kann man morgens anfangen?

G Man kann zwischen halb acht und neun Uhr anfangen und aufhören kann man zwischen 16 Uhr und 18 Uhr 30, außer freitags. Freitags machen wir schon um 16 Uhr Feierabend.

S Wie viele Stunden muss man pro Woche arbeiten?

G 38 Stunden. Dazu kommt noch mindestens eine halbe Stunde Mittagspause.

S Und Überstunden? Müssen die Mitarbeiter oft Überstunden machen?

G Ja, das kommt schon vor, besonders in der Fabrik, wenn viel Arbeit da ist.

S Und wie viele Urlaubstage gibt es im Jahr?

G 30, und die gesetzlichen Feiertage kommen noch hinzu.

5.2 D1 (Track 12, 1:10 Min.)

Herr Grimm = G, Frau Schmidt = S

S Herr Grimm, darf ich Sie etwas zur Bezahlung fragen? Ich bekomme ja monatlich mein Trainee-Gehalt.

G Ja, richtig. Wie bei allen anderen Angestellten auch, überweisen wir Ihr Gehalt dann immer so um den 25. des Monats auf Ihr Konto.

S Und ist das dann brutto oder netto?

G In Ihrem Vertrag steht natürlich Ihr Bruttogehalt. Die Buchhaltung überweist dann aber das Nettogehalt. Krankenversicherung, Rentenversicherung, Steuern etc. sind dann schon abgezogen.
Dazu bekommen Sie noch einen Zuschuss zu den Fahrtkosten.

S Und wie viel ist das?

G Das sind 50 Euro im Monat. Unsere anderen Angestellten bekommen auch noch ein 13. Monatsgehalt am Ende des Jahres. Leider trifft das bei Ihnen als Trainee nicht zu.

S Ach, … das ist ja schade.

G Aber dafür übernimmt die Firma für Sie das Essen. Hier sind Ihre Essensmarken für die Kantine. Melden Sie sich bei Frau Kissling,
wenn Sie weitere Marken brauchen.

S Oh … Danke!

5.3 B3 (Track 13, 1:15 Min.)

Dialog 1
Frau Schmidt = S, Empfangsdame = E

S Entschuldigung, wo ist das Büro des Personalleiters?

E Sein Büro ist im zweiten Stock. Vom Empfang aus gehen Sie zwei Treppen hoch. Wenn Sie oben sind, sehen Sie eine Tür vor sich.

S Danke.

Dialog 2
Herr Grimm = G, Frau Schmidt = S

S Wie komme ich zur Abteilung Vertrieb?

G Gehen Sie wieder nach unten ins Erdgeschoss, dann links um die Ecke, den Gang entlang, dann ist es die vierte Tür links.

S Danke.

Dialog 3
Frau Schmidt = S, Mitarbeiterin = Mn

S Ich muss in die Produktionsabteilung. Wie komme ich dorthin?

Mn Gehen Sie zurück zum Empfang, dann eine Treppe hinauf in den ersten Stock. Dort gehen Sie links, dann geradeaus bis fast zum Ende. Sie sehen die Abteilung auf der linken Seite.

Dialog 4
Frau Schmidt = S, Mitarbeiterin = Mn

S   Wo ist die Poststelle, bitte?
Mn Gehen Sie hier rechts raus, zurück zur Treppe, dann
    die Treppe runter ins Erdgeschoss. Wenn Sie unten
    sind, gehen Sie links. Die Poststelle ist auf der rech-
    ten Seite, gleich hinter dem Empfang.

5.4 A1   (Track 14, 1:10 Min.)

Frau Suter = Su, Frau Schmidt = S, Herr Kunz = Ku,
Herr Gärtner = G, Frau Kissling = Ki

Su Frau Schmidt, ich möchte Sie einigen Kollegen
    vorstellen, mit denen Sie zu tun haben werden.
S   Ja, gerne.
Su Das ist Frau Gut vom Innendienst. Sie ist Sach-
    bearbeiterin und kümmert sich um die Aufträge.
S   Guten Tag, Frau Gut.
Su Das ist Herr Kunz vom Außendienst. Er ist
    Verkaufsberater und verantwortlich für die
    Kundenbetreuung.
S   Freut mich, Sie kennen zu lernen, Herr Kunz.
Ku Guten Tag Frau Schmidt.
Su Herr Gärtner ist unser Marketing-Assistent. Er befasst
    sich mit Marketing und Werbung.
S   Guten Tag, Herr Gärtner.
G   Angenehm.
Su Und das ist Frau Kissling. Frau Kissling ist unsere
    Sekretärin.
S   Guten Tag, Frau Kissling. Freut mich.
Ki Guten Tag. Ich bin zuständig für allgemeine
    Büroarbeiten in der Abteilung.
Su So, dann lasse ich Sie jetzt hier.
    Frau Gut wird sich um Sie kümmern.
    Viel Spaß bei der Arbeit.
S   Vielen Dank, Frau Suter.

5.4 B1   (Track 15, 1:41 Min.)

Frau Gut = G, Frau Schmidt = S

S   Frau Gut, Sie sind für die Aufträge zuständig. Wie
    läuft das? Was müssen Sie alles bei der Arbeit
    machen?
G   Was ich bei den Aufträgen mache? Also, ich nehme
    Kundenanfragen entgegen, das heißt, ein Kunde
    möchte etwas kaufen und fragt nach dem Preis und
    der Lieferzeit der Ware. Ich beantworte die Frage,
    indem ich ein Angebot unterbreite. Im Angebot
    geben wir Informationen über das Produkt, den Preis
    und die Lieferzeit. Das mache ich in Zusammenarbeit
    mit der Abteilung Entwicklung und Konstruktion.
    Wenn der Kunde unser Angebot annimmt und etwas
    bestellen möchte, gibt er uns einen Auftrag. Dann
    muss ich den Auftrag bestätigen. Mit der Auftrags-
    bestätigung nehmen wir den Auftrag an. Die Auf-
    tragsbestätigung leite ich dann der Abteilung Rech-
    nungswesen weiter, damit man dort die Rechnung

schreiben kann. Die Versandabteilung bekommt
natürlich eine Kopie, weil man dort den Lieferschein
ausstellt. Ich bin dafür verantwortlich, dass wir die
Waren rechtzeitig ausliefern, da muss ich also immer
die Liefertermine überwachen. Und einmal im Monat
muss ich einen Verkaufsbericht schreiben. Was mache
ich denn sonst noch? Ach ja! Ich muss mich manchmal um Reklamationen kümmern, zum Beispiel wenn
die Waren nicht rechtzeitig angekommen sind oder
wenn sie nicht richtig funktionieren oder so was,
dann reklamiert der Kunde.
S   Also, Reklamationen gibt es hier auch manchmal?
G   Leider ja, wie überall!

5.5 A1   (Track 16, 2:03 Min.)

Frau Gut = G, Frau Kissling = K, Frau Schmidt = S

G   Ach, schon wieder eine Reklamation von Herrn
    Schmidheiny! Ich brauche erst mal einen Kaffee,
    bevor ich die Firma anrufe.
S   Ich mache Ihnen einen Kaffee, Frau Gut.
G   Ach, das ist nett von Ihnen, Frau Schmidt.
S   Möchten Sie auch einen Kaffee, Frau Kissling?
K   Oh ja, bitte.
S   So, hier ist der Kaffee.
G   Danke.
K   Vielen Dank.
…
G   Ach, jetzt geht es mir schon viel besser. So, lesen wir
    den Brief von Herrn Schmidheiny noch einmal … ach,
    wie ich Reklamationen hasse!
S   Aber, Frau Gut, die Arbeit hier gefällt Ihnen doch,
    oder?
G   Meistens schon, aber die unangenehmen Telefon-
    gespräche mit den Kunden mag ich nicht.
S   Was machen Sie denn gerne?
G   Ach, Anfragen entgegennehmen, neue Produkte
    anbieten, solche Sachen mache ich gerne. Ich ver-
    handle auch gern mit den Kunden über die Preise.
S   Was gefällt Ihnen denn am besten an Ihrer Stelle?
G   Ich arbeite am liebsten selbstständig und hier kann
    ich meine Arbeit selbst einteilen.
S   Und Sie, Frau Kissling, wie finden Sie denn Ihre
    Stelle?
K   Na ja, mir gefällt meine Arbeit ganz gut.
S   Was machen Sie gerne?
K   Mmh… Geschäftsreisen für den Chef zu organisieren
    macht mir Spaß.
S   Und was gefällt Ihnen an der Arbeit nicht so gut?
K   Die langen Arbeitsstunden mag ich nicht. Manchmal
    muss ich bis abends um sieben arbeiten. Da bleibt
    wenig Zeit für das Private übrig.
    Ja, das und die Ablage. Die Ablage machen finde ich
    total langweilig! Und bei Sitzungen führe ich nicht
    gern das Protokoll.
G   Und Sie, Frau Schmidt, Sie sind jetzt schon fast drei
    Wochen hier. Arbeiten Sie gern bei uns?

S   Ja, ich arbeite gern hier, denn die Arbeit ist sehr abwechslungsreich.
    Das Beste am Job sind aber die netten Kollegen!
G   Aha!

5.5 D   (Track 17, 1:47 Min.)

Frau Schmidt = S, Herr Sommer = J

S   Entschuldigung, ist hier noch frei?
J   Aber sicher. Ich habe Sie schon ein paar Mal in der Kantine gesehen.
    Sie sind die Trainee, oder?
S   Ja, das bin ich. Mein Name ist Simone Schmidt. Und Sie sind …?
J   Jan Sommer. Freut mich. Und, wie gefällt es Ihnen bei uns?
S   Ja … sehr gut. Zuerst war ich im Vertrieb und im Moment bin ich in der kaufmännischen Abteilung.
J   Oh ja … bei Frau Knupfer. Die ist ganz schön … anspruchsvoll, finden Sie nicht?
S   Ja …, aber auch sehr offen und hilfsbereit. Sie erklärt viel und so lernt man auch viel. Herrn Leuenberger finde ich da schon etwas schwieriger. Aber eigentlich sind die Kollegen hier wirklich nett! Wo arbeiten Sie denn?
J   Ich bin in der Produktion.
S   Ach, das ist interessant. Da fange ich nämlich nächsten Monat an!
    Wie ist es denn so in der Produktion?
J   Also, ich bin jetzt seit einem halben Jahr in dieser Abteilung und … ganz ehrlich … das Arbeitsklima ist dort schlecht. Der Produktionschef, Herr Neuenschwander, ist ein unsympathischer Typ. Die meisten Kollegen haben Angst vor ihm. Er ist autoritär, schreit dauernd und kommandiert die Leute herum.
S   Aha. Und wie sind die anderen Kollegen?
J   Da gibt es zum Beispiel Herrn Latour. Er ist ehrgeizig, arbeitet viel und konkurriert ständig mit den anderen. Er ist überhaupt nicht hilfsbereit sehr unkollegial.
S   Oh je! Da das hört sich ja nicht gut an.
J   Na ja, es gibt dort auch nette Kollegen. Zum Beispiel Herrn Dietrich. Der ist gutmütig und gelassen und hat immer Zeit, wenn man ein Problem hat. Und ich bin ja auch noch da!

KAPITEL 6   (CD 2)

6.1 B1   (Track 18, 2:10 Min.)

Rezeption = R, Frau Schumacher = S

R   Hotel Krone, guten Tag.
S   Guten Tag, hier spricht Carola Schumacher von der Firma Schaller in Köln. Ich habe den Namen Ihres Hotels dem Hotelverzeichnis der Tourist-Information entnommen und möchte eine Zimmerreservierung machen.
    Zuerst habe ich aber eine Frage. Wie weit sind Sie vom Hauptbahnhof entfernt?
R   Nur eine Bushaltestelle. Zu Fuß geht man nicht ganz 10 Minuten.
S   Gut, dann möchte ich ein Doppelzimmer reservieren.
R   Gerne. Für wann, bitte?
S   Vom 3. bis 6. März, also für drei Nächte.
R   Möchten Sie Bad oder Dusche?
S   Lieber Bad, wenn es möglich ist.
R   Dann muss ich mal schauen … Da haben Sie Glück. Wir haben noch ein Doppelzimmer mit Bad und Dusche frei. Wissen Sie, im März findet in Hannover die CeBIT statt und da sind die meisten Hotels ausgebucht.
S   Ja, ich weiß. Aus diesem Grund ruf ich an. Mein Chef besucht die Messe. Noch folgende Frage: Im Hotelverzeichnis steht, dass Doppelzimmer mit Bad zwischen 79 Euro und 130 Euro kosten. Wo ist da der Unterschied?
R   Die Zimmer zu 130 Euro befinden sich im Neubau, sie sind etwas größer, mit einem großen Schreibtisch, Internetanschluss und Minibar. Die zu 79 Euro sind etwas kleiner, haben aber auch eine Minibar.
S   Aha, ich verstehe. Ist das mit Frühstück?
R   Ja, der Zimmerpreis ist inklusive Frühstück.
S   Gut, dann reservieren Sie mir das Doppelzimmer zu 130 Euro auf den Namen Borer von der Firma Schaller in Köln.
R   Entschuldigung, können Sie mir den Namen nochmals wiederholen?
S   Natürlich, Borer, ich buchstabiere: B – O – R – E – R. Herr Borer kommt mit seiner Gattin.
R   Soll ich Ihnen die Reservierung bestätigen?
S   Ja, gerne. Ich gebe Ihnen die Faxnummer. Sie lautet …

6.1 C   (Track 19, 2:12 Min.)

Rezeption = R, Frau Schumacher = S

R Hotel Krone, guten Tag.

S Guten Tag, hier spricht Carola Schumacher von der Firma Schaller in Köln. Ich habe vorgestern bei Ihnen ein Doppelzimmer für den 3. bis 6. 3. auf den Namen Borer reserviert. Sie haben mir gestern die Bestätigung der Reservierung gefaxt. Ich muss die Reservierung ändern.

R Was möchten Sie ändern?

S Frau Borer ist erkrankt und kann ihren Mann nicht zur CeBIT begleiten. Ist es möglich, für die gleichen Daten ein Einzelzimmer mit Bad oder Dusche zu haben? Sollte dies nicht möglich sein, würde Herr Borer das Doppelzimmer behalten, aber vielleicht haben Sie ja noch etwas frei.

R Ja, ich verstehe. Einen Augenblick, ich schau mal, was sich da machen lässt ... Sind Sie noch da? Ja, wir haben noch zwei Einzelzimmer frei. Zwei Personen haben heute Morgen abgesagt. Beide Zimmer befinden sich im Neubau. Ein Zimmer ist in der ersten Etage, das andere in der dritten. Welches wünschen Sie? Der Preis ist identisch. Er beträgt mit Frühstück 115 Euro statt 130 Euro für das Doppelzimmer. Die Zimmer sind mit Bad und Dusche, Minibar und Internetanschluss. Ist das okay für Sie?

S Ja, klar. Ich nehme das Zimmer in der dritten Etage. Ich danke Ihnen.

R Nicht der Rede wert. Ich schicke Ihnen die Bestätigung per Fax. Die Adresse habe ich ja. Nur kurz zur Kontrolle: ein Einzelzimmer für drei Nächte, vom 1.3. bis zum 4.3., auf den Namen Borer von der Firma Schaller in Köln.

S Nein, Vorsicht! Die Daten sind vom 3.3. bis zum 6.3.!

R Klar. Verzeihung. Also, dann faxe ich Ihnen die Bestätigung in der nächsten Viertelstunde. Noch eine Frage: Wann checkt Herr Borer bei uns ein?

S Das weiß ich noch nicht. Ich muss mir noch die Zugverbindungen herausschreiben, aber ich denke, so gegen Mittag.

R Ah ja, vielen Dank. Auf Wiederhören!

6.2 B   (Track 20, 1:29 Min.)

Auskunft = A, Frau Schumacher = S

A Reiseauskunft der Deutschen Bahn Köln, guten Tag.

S Guten Tag, ich hätte gern eine Zugauskunft. Ich brauche eine Bahnverbindung am Donnerstagmorgen nach Hannover.

A Um wie viel Uhr möchten Sie fahren?

S So gegen 9 Uhr.

A Einen Moment, bitte. Da fahren Sie um 9 Uhr 13 mit dem Intercity 2141 ab Köln über Dortmund und kommen um 12 Uhr 18 in Hannover Hauptbahnhof an.

S Gibt es auch einen späteren Zug?

A Ja, es gibt auch eine Verbindung um 9 Uhr 48 über Wuppertal mit Ankunft in Hannover um 12 Uhr 28. Das ist ein ICE. Der nächste fährt um 10 Uhr 48, ebenfalls über Wuppertal und kommt um 13 Uhr 28 in Hannover an.

S Ist das auch ein ICE?

A Ja.

S Muss man umsteigen oder sind es direkte Verbindungen?

A Alle drei Züge sind direkte Verbindungen. Sie müssen also nicht umsteigen.

S Ja, das hört sich gut an. Ja, dann werde ich wohl den Zug über Dortmund nehmen. Da ist die Reisezeit zwar etwas länger, aber ich komme um gegen Viertel nach zwölf in Hannover an. Ich danke Ihnen für die Auskunft. Auf Wiederhören.

A Auf Wiederhören!

6.2 C   (Track 21, 1:27 Min.)

Auskunft = A, Frau Schumacher = S

A Reisezentrum Deutsche Bahn, guten Tag. Hier spricht Tim Scheffler.
Was kann ich für Sie tun?

S Guten Tag. Ich fahre mit dem Intercity von Köln nach Hannover und möchte eine Fahrkarte buchen.

A Hin und zurück oder nur einfache Fahrt?

S Hin und zurück bitte.

A Möchten Sie in der ersten oder in der zweiten Klasse fahren?

S Erste Klasse, bitte.

A Brauchen Sie auch eine Platzreservierung?

S Ja, bitte, für die Hinfahrt, ich fahre am Donnerstagmorgen, dem 3. März, um 9 Uhr 13.

A O.k., möchten Sie einen Fensterplatz oder einen Platz am Gang?

S Einen Fensterplatz, bitte. Kann ich die Fahrkarte am Bahnhof abholen?

A Wir können Ihnen die Karte zuschicken, das kostet 3 Euro 50. Oder Sie können die Karte bis kurz vor Abfahrt am Fahrkarten-Automaten am Bahnhof abholen. Dazu brauchen Sie aber Ihre Kredit- oder EC-Karte.
Wie möchten Sie denn zahlen?

S Mit der Kreditkarte. Ich habe die MasterCard.

A Gut, dann können Sie jetzt mit der Kreditkarte bezahlen und dann die Fahrkarte vom Automaten mit derselben Kreditkarte abholen. Ich brauche noch Ihren Namen und auch noch das Datum Ihrer Rückfahrt, dann können wir die Buchung abschließen.

6.2 D   (Track 22, 1:28 min)
Durchsage 1
Auf Gleis 4 steht der ICE 690 nach Berlin zur Abfahrt bereit. Bitte einsteigen. Vorsicht, die Türen schließen automatisch.

Durchsage 2
Auf Gleis 9 fährt ein der Intercity 2115 aus Hamburg zur Weiterfahrt um 14 Uhr 53 nach Stuttgart über Bonn, Koblenz, Mainz und Mannheim.
Vorsicht an Gleis 9. Bitte zurücktreten.

Durchsage 3
Achtung an Gleis 8. Der Intercity 2261 nach München folgt mit einer Verspätung von etwa 15 Minuten. Ich wiederhole: Der Intercity 2261 nach München folgt ...

Durchsage 4
Achtung an Gleis 2. Der Intercity 144 zur Weiterfahrt um 14 Uhr 40 nach Amsterdam fährt auf Gleis 3 statt 2 ein. Reisende nach Amsterdam werden gebeten, sich zu Gleis 3 zu begeben.

6.3 A   (Track 23, 1:37 Min.)

Frau Rothen = R, Tourist-Information = I

I Guten Tag, was kann ich für Sie tun?

R Guten Tag, ich möchte zum Hotel Krone. Es liegt in der Nähe des Hauptbahnhofs. Wie komme ich am besten dahin?

I Da gibt es mehrere Möglichkeiten. Sie können die S-Bahn nehmen. Da fährt alle 30 Minuten eine zum Hauptbahnhof. Die S-Bahn fährt durchgehend von fünf Uhr morgens bis Mitternacht. Oder Sie nehmen den Shuttle-Bus in die Innenstadt.

R Wie lange hat man mit der S-Bahn bis zum Hauptbahnhof?

I Die Fahrt dauert 15 bis 20 Minuten. Sie nehmen dort drüben den Lift und kommen dann zum S-Bahn-Bahnhof. Die Linie 8 fährt direkt zum Hauptbahnhof.

R Sie sagten, es gibt mehrere Möglichkeiten. Wie kommt man noch ins Stadtzentrum?

I Mit dem Taxi. An allen Terminals des Flughafens sind Taxistände. Das Taxi ist sehr wahrscheinlich am praktischsten. Ich sehe, Sie haben ziemlich viel Gepäck bei sich.

R Wie lange hat man mit dem Taxi?

I Ich schätze, so eine knappe Viertelstunde.

R Tja, gut.

I Sie können auch ein Auto mieten. Zwischen Terminal A und Terminal B finden Sie die Büros der Autovermieter wie Hertz, Avis, Europcar usw.

R Danke für die Auskunft.

I Bitte, gern geschehen. Auf Wiedersehen und angenehmen Aufenthalt.

6.3 C (Track 24, 2:17 Min.)

Frau Rothen = R, Europcar = E

E Guten Tag. Sie wünschen?

R Guten Tag. Ich brauche einen Mietwagen.

E Welche Kategorie wünschen Sie denn?

R Einen Kleinwagen. Ich fahre keine weiten Strecken, Hauptsache, ich bin mobil. Ich bin nämlich zur CeBIT hier und möchte nicht von öffentlichen Verkehrsmitteln abhängig sein.

E Kein Problem, ich schaue mal nach, was noch frei ist. Mmh, ja, Kategorie A, da haben wir einen Smart „fortwo", einen Opel Corsa und einen kleinen Fiat, einen Cinquecento.

R Oh, einen Smart. So einen wollte ich schon immer fahren. Und der ist praktisch, den kann man ja fast überall hinstellen. Wie viel kostet das?

E Wie lange brauchen Sie den Wagen?

R Von heute an, also 3.3., bis 6.3., also vier Tage.

E Vier Tage, das macht 169 Euro für den Smart, 180 Euro für den Opel und 186 Euro für den Fiat. Der Smart verbraucht nur vier Liter auf 100 Kilometer. Versicherung für alle Schäden, Mehrwertsteuer und unbeschränkte Kilometerzahl sind im Preis inbegriffen. Das gilt für alle Modelle.

R Das hört sich ja gut an. Also, ich nehme den Smart.

E Gut, jetzt brauche ich nur noch Ihren Namen und Ihren Pass oder Ausweis.

R Mein Name ist Rothen. Rothen mit t und einem h. Der Vorname ist Claire.

E Und wie zahlen Sie?

R Mit der Kreditkarte. Ich habe gesehen, Sie akzeptieren praktisch alle Kreditkarten. Können Sie mir eine Rechnung machen, damit ich das auf meine Spesenabrechnung für die Firma setzen kann?

E Selbstverständlich. Also, sobald Sie bezahlt haben, komme ich mit Ihnen und begleite Sie zu Ihrem Mietwagen. Ich gebe Ihnen dann die Papiere und wir überprüfen gemeinsam, ob der Wagen okay ist. Der Wagen steht am Ausgang des Terminals A. Sie müssen ihn dann am 6.3. dort wieder abstellen und die Schlüssel hier am Schalter abgeben. Die Papiere lassen Sie im Wagen und nehmen nur den Mietvertrag mit. Haben Sie sonst noch Fragen?

R Ja. Hat das Auto auch ein GPS, ein Navigationssystem?

E Ja, der Smart und der Cinquecento haben eines.

R Da habe ich ja wirklich Glück gehabt.

E Gut, dann gehen wir, Frau Rothen.

6.4 A1 (Track 25, 2:12 Min.)

Herr Borer = B, Passant = P, Passantin = Pn

B Entschuldigung, darf ich Sie etwas fragen? Ich suche das Hotel Krone in der Friesenstraße.

P Friesenstraße?

B Ja, Friesenstraße 45. Man hat mir erklärt, zu Fuß seien es nur 5 bis 10 Minuten. Das muss ganz in der Nähe sein.

P Moment, ich muss mal ganz kurz überlegen. Ah, ja, das könnte in diese Richtung sein, aber ich bin mir nicht ganz sicher. Also, Sie laufen hier die Rundestraße hinunter, überqueren die Fernroder Straße und dann kommen Sie in die Augustenstraße. Dort gehen Sie weiter bis zur Königstraße. Da biegen Sie links ab. Dann kommen Sie in die Hinüberstraße. Dort könnte die Friesenstraße sein. Aber wie gesagt, ich bin mir nicht zu hundert Prozent sicher.

B Vielen Dank.

…

B Also, hier bin ich in der Königstraße. Hier muss ich nach links. Ah, da ist die Hinüberstraße. Aber wo ist denn die Friesenstraße?

…

B Entschuldigung, ich suche die Friesenstraße. Bin ich hier richtig? Man hat mir gesagt, die sei hier in der Nähe.

Pn Nein, nein. Da sind Sie falsch. Da hat man Sie in die falsche Richtung geschickt. Am besten laufen Sie jetzt die Königstraße entlang bis zur Berliner Allee. Dort gehen Sie über die Straße und laufen immer geradeaus die Königstraße entlang. Dann gehen Sie links die Bernstraße hoch. Sie kommen nach etwa 600 Metern in die Sedanstraße. Sie laufen die Sedanstraße rauf. Am Ende der Sedanstraße biegen Sie nach rechts ab, und dort ist die Friesenstraße. Welche Nummer suchen Sie?

B 45. Ich suche das Hotel Krone.

Pn Ja. Das Hotel Krone liegt am Ende der Friesenstraße auf der linken Seite, an der Ecke zur Eichstraße.

B Danke vielmals und einen schönen Tag.

6.4 B (Track 26, 1:35 Min.)

Sie starten in der Friesenstraße in Hannover und fahren 450 Meter in Richtung Berliner Allee.

Verlassen Sie die Straße Lister Meile und biegen Sie scharf links in die Berliner Allee ein. Folgen Sie dem Straßenverlauf für 1,3 Kilometer.

Verlassen Sie die Berliner Allee und biegen Sie links in die Marienstraße ein. Folgen Sie dem Straßenverlauf für 630 Meter.

Verlassen Sie die Marienstraße beim Braunschweiger Platz und biegen Sie rechts in den Bischofsholer Damm ein. Folgen Sie dem Straßenverlauf für 1,5 Kilometer.

Verlassen Sie den Bischofsholer Damm und biegen Sie rechts in den Messeschnellweg ein. Folgen Sie dem Straßenverlauf für 2,5 Kilometer.

Verlassen Sie den Messeschnellweg. Biegen Sie rechts in die Hermesallee ein. Folgen Sie dem Straßenverlauf für 680 Meter.

Sie sind an Ihrem Fahrziel, der Hermesallee in Hannover, angekommen.

6.5 D (Track 27, 2:11 Min.)

Interview 1

Journalist = J, Herr Fässler = F

J Ich spreche mit Herrn Fässler am Stand von Blue Electronic. Herr Fässler, Sie sind ein regelmäßiger Aussteller hier, nicht wahr?

F Ja, wir sind ein kleines Schweizer Unternehmen aus Appenzell und stellen seit zwölf Jahren hier auf der CeBIT aus.

J Und warum sind Sie dieses Jahr hier?

F Wir sind in erster Linie hier, um den Absatz zu steigern, auf gut Deutsch gesagt: um Aufträge zu bekommen. Dabei hoffen wir auch neue Kunden zu gewinnen. Aber den Kontakt zu unseren existierenden Kunden dürfen wir auch nicht vergessen. Die Messe ist nämlich für uns ein wichtiger Treffpunkt. Ich treffe mich hier mit Kunden aus der ganzen Welt und das erspart mir drei, vier Geschäftsreisen pro Jahr. Und rein persönlich freue ich mich darauf, alte Geschäftsfreunde auf der Messe wiederzusehen.

J Ja, ich verstehe. Danke für das Gespräch.

Interview 2

Journalist = J, Frau Klum = K

J Frau Klum, Sie vertreten die Firma MediaSolution hier auf der CeBIT. Warum stellen Sie hier aus?

K Wir sind vor allem hier, um den Prototyp unseres neuen Systems „Screentalk" vorzustellen und seine Akzeptanz auf der Messe zu testen. Die Reaktionen der Messebesucher sind nämlich für uns sehr wertvoll. Andere Ziele für uns sind dann, neue Marktinformationen zu sammeln und herauszufinden, was unsere Konkurrenten machen.

J Ja, das ist natürlich auch wichtig. Auch Ihnen besten Dank für das kurze Gespräch.

Interview 3

Journalist = J, Herr Fontane = F

J Mein nächster Gesprächspartner ist Herr Fontane von der Firma Network. Herr Fontane, warum haben Sie sich entschieden, hier auszustellen?

F Erstens, um den Namen unserer Firma in Europa bekannt zu machen, und zweitens, um unsere Neuheit, einen Taschenscanner, vorzustellen. Dabei hoffen wir, einige Aufträge mit neuen Kunden abzuschließen. Ein weiteres Ziel ist, Vertreter für einige deutsche Gebiete und das Ausland, vor allem Frankreich und Italien zu finden.

J Herr Fontane, ich wünsche Ihnen viel Erfolg!

F Danke!

Lösungen

Für die Aufgaben mit individuellen Lösungen ist hier kein Lösungsvorschlag vorgeben.

KAPITEL 1

1.1 A2
1) – Landesvorwahl: 49 / Ortsvorwahl: 030 /
   Rufnummer: 944 95 28
   – in Deutschland
   – 0049 30 944 95 28
2) (+90) oder 0090
3) (0)89, (0)30, (0)1

1.1 B
1) internationale Vorwahl
2) Landesvorwahl
3) 49
4) Ortsvorwahl
5) Null
6) Rufnummer
7) Durchwahlnummer
8) Rufnummer

1.1 D
1) 0043 1 92 66 01
2) 0033 1 30 53 22 46
3) 0034 1 4 03 60 00
4) 0041 52 628 55 54

1.2 A
1) Anschluss
2) Teilnehmers – geändert – 672 85 60
3) Ortsvorwahl – geändert – wählen – Rufnummer
4) Auskunftsplätze – besetzt – legen – auf – bedient

1.2 B
Anruf 1: 1) Videco 2) Herrn Schuster
Anruf 2: 1) aus der Schweiz 2) Nein
Anruf 3: 1) Lasco 2) Er ist falsch verbunden. / Er hat falsch gewählt.

1.2 C
An: Herrn Kandinski
Frau Simone Villemin
Tel.-Nr. 0033 67 43 90 58
hat angerufen / bittet um Rückruf
Betrifft: persönlich
Aufgenommen von: Bergstein

1.2 D
Anruf 1: 1) Herr Müller
2) im Moment nicht da
3) in einer halben Stunde
Anruf 2: 1) Frau Bach
2) in einer Besprechung
3) morgen, kurz nach 8:30 Uhr
Anruf 3: 1) Herr Weber
2) auf Geschäftsreise
3) nächste Woche (Montag)

1.3 A1
Anruf 1: 1) Informationsmaterial
2) der Bankettabteilung
Anruf 2: 1) Reklamation (wegen einer mechanischen Presse)
2) (mit) dem Kundendienst (Herrn Schmidt)
Anruf 3: 1) Rechnung Nr. 781 A
2) (mit) der Buchhaltung (Herrn Weyhe)

1.3 A2
Anruf 1: gern – über – bestellen – verbinde – mit
Anruf 2: am – darüber – handelt – um – geliefert
Anruf 3: wegen – gerade – zuständig – Frage – Rechnung – 781A – am – weiter

1.3 D
Name: Lionne – Firma: Raphael –
Adresse: 24, rue Levallois – Wohnort: 75017 Paris –
Grund: Katalog

1.4 A
Er/Sie ist beim Mittagessen.   Dialog 1
Er/Sie ist in einer Sitzung.   Dialog 2
Er/Sie spricht auf der anderen Leitung.   Dialog 3

1.4 B1
Gesprächsnotiz 1
Firma: AWN – Betrifft: Ist bis 18 Uhr im Büro.

Gesprächsnotiz 2
An: Herrn Lutz – Herr Petterson – Betrifft:
Auftrag Nr. 2814/b – Aufgenommen: Schmidt

1.4 B2
An: Herrn Becker – Herr Cipolli – Firma Castelli – hat angerufen / bittet um Rückruf – Betrifft: Lieferung des Auftrags Nr. 123 B (Maschine defekt) – Aufgenommen von: Fischer

1.4 D
Ansage 1: 1) Betriebsferien
2) am Montag, dem 8. August
Ansage 2: 1) Montags bis freitags (08:00 Uhr – 12:30 Uhr und 13:00 Uhr – 17:00 Uhr)
2) Name, Adresse, Kundennummer
Ansage 3: 1) Büro nicht besetzt / Büro geschlossen
2) 040 69 40 56

1.5 A

Dialog 1:   1) Projekt in St. Gallen, über einige Punkte genauer sprechen
              2) Bei Herrn Langmann in München.
              3) Montag, 14:00 Uhr

Dialog 2:   1) Frau Kleger, die Sekretärin von Herrn Sutter
              2) kommt später in München an
              3) Montag, 16:00 Uhr

Dialog 3:   1) Er muss verreisen.
              2) Nein, Herr Sutter ist den ganzen Tag unterwegs.
              3) morgen (am nächsten Tag), gegen 08:00 Uhr

1.5 B1

6 – 2 – 4

1.5 B2

Dialog 1:   ruft nächste Woche wieder an, um einen neuen Termin zu vereinbaren

Dialog 2:   meldet sich später wieder

Dialog 3:   Termin auf nächste Woche verschieben, auf Freitagnachmittag, 15 Uhr 30

KAPITEL 2

2.1 A1

Dialog 1

1) stimmt nicht
2) stimmt
3) stimmt nicht
4) nicht bekannt

Dialog 2

1) stimmt
2) nicht bekannt
3) stimmt nicht

2.1 A2

1)   Siehe Übersicht in B
2)+ 3) Wie man sich begrüßt und ob man sich die Hand gibt, das ist sehr abhängig von der Situation. Man gibt sich die Hand, wenn man jemandem vorgestellt wird. Man gibt sich auch die Hand, wenn man einen Geschäftspartner nach längerer Zeit zum ersten Mal wieder sieht. Man gibt sich aber nicht jedes Mal, wenn man sich während eines Geschäftsbesuchs sieht, die Hand. Wenn Sie sich unsicher sind, dann reagieren Sie am besten auf die anderen Personen. In der Regel bestimmt die Person, die einlädt oder in deren Land Sie sich befinden, wie man sich begrüßt.

2.1 D1

b) das Wetter
f) die Reise
g) die Heimat
i) den Urlaub
j) Städte, die man kennt

2.1 D2

1) a, 2) –, 3) a, 4) b, 5) a, 6) b, 7) a

2.1 D3

Aha. / Ach so! / Sehr gut! / Ach. Schade! / Das ist gut.

2.2 A2

1) F, 5 Minuten
2) R
3) F, Mantel
4) F, Kaffee mit Milch, ohne Zucker

2.2 C

1) a, 2) b, 3) b, 4) a, 5) a

2.3 B1

1) d, 2) e, 3) b, 4) a, 5) c

2.3 B2

Herr Becker ist der neue Vertreter für Norddeutschland.

2.4 A1

1) Videofilm   (b)
2) Betriebsbesichtigung   (f)
3) Mittagessen im Lokal   (g)
4) Gespräch mit dem technischen Leiter
5) Sitzung der Marketing-Gruppe (h)
6) Abendessen im Restaurant   (d)
    (a und c nicht im Programm)

2.4 A2

1) f, 2) d, 3) a, 4) c, 5) b, 6) e

2.4 C

1)   Die Schlanke Produktion
2)   Das Seminar fängt um 9:30 Uhr an und hört um 17:15 Uhr auf.
3)   Es gibt 4 Beiträge.
4)   Um 11:15 Uhr.
5)   30 Minuten
6)   Um 15:15 Uhr.
7)   Lean Production, Konzepte und Lösungen
8)   Er spricht über Zertifizierte Qualitätssicherung nach ISO 9000.
9)   Dr. Gurgl ist vom Deutschen Institut für Normung, Berlin.
10)   Dr. Joachim Stern

2.5 B1
1) der Empfang (p)
2) die Geschäftsführung (o)
3) Vertrieb und Marketing (h)
4) die Buchhaltung (g)
5) der Einkauf (f)
6) das Konferenzzimmer (m)
7) das Konstruktionsbüro (k)
8) die Küche (i)
9) die Toiletten (c)
10) die Arbeitsvorbereitung (d)
11) der Werksleiter (b)
12) der Prüfraum (a)

2.5 B2
1) Vertrieb und Marketing
2) die Buchhaltung
3) der Einkauf
4) das Konstruktionsbüro
5) die Arbeitsvorbereitung
6) die Fertigungshalle
7) der Prüfraum
8) das Lager

KAPITEL 3

3.1 B
1) Donnerstag(abend)
2) das Restaurant „Lotus", die „Burg", das Restaurant „König"
3) das Restaurant „König", bessere Speisekarte
4) um halb sieben, vor dem Hotel

3.2 B
Herr Salzmann: Orangensaft, gemischter Salat, Lachsforelle mit Safranschaum/Weissweinrisotto, Mineralwasser mit Kohlensäure
Herr Weber Campari, gemischter Salat, Schweinefiletmedaillons mit Senfsauce, (ein Glas) Rotwein (La Côte), Mineralwasser mit Kohlensäure

3.2 D
1) a, 2) b, 3) b, 4) b
Was stimmt nicht? – Das Lachsforellenfilet und der Campari stehen zweimal auf der Rechnung.

3.2 E
1) ja
2) 7,6 %

3.3 B2
Wo wohnen Sie? – In der Nähe des Stadtzentrums. (W)
Wie wohnt man dort? – Es ist sehr schön dort, relativ ruhig. (W)
Wie kommen Sie zur Arbeit? – mit dem Auto (S); zu Fuß (W)
Wie wohnen Sie? – in einer Wohnung (W); in einem Einfamilienhaus (S)
Gehört die Wohnung/das Haus Ihnen? – Das Haus gehört mir. (S); Nein, es ist eine Mietwohnung. (W)
Wie groß ist Ihre Wohnung/Ihr Haus? –
120 Quadratmeter (S);
4 Zimmer (W); 5 Zimmer (S)

3.3 D
1) einen Sohn und eine Tochter
2) berufstätig
3) wird bald 18
4) Er geht noch zur Schule.
5) eine Schwester und einen Bruder
6) Er arbeitet bei Bühler.
7) seiner Schwester
8) geschieden

3.4 B1
a, b, g, i, k, o, s

3.4 B2
Herr Salzmann: Ja, (ich treibe) ziemlich viel (Sport). Im Winter fahre ich mit meinem Sohn Ski. Im Sommer fahre ich Rad und gehe regelmäßig joggen, um fit zu bleiben. Ja, ich interessiere mich sehr für Literatur. (Da gibt es einige.) Ich lese gern Bücher von Martin Suter, Peter Stamm, Bernhard Schlink …
Herr Weber: Na ja, ich gehe gern mit meiner Familie im Park oder im Wald spazieren. Sonntags machen wir auch gern Ausflüge … Ja. Ich höre gern die Beatles, Rock und Pop … auch klassische Musik. Ach so. Ich interessiere mich auch sehr für Filme. Ja, ich sehe mir gern die James-Bond-Filme an. Ja, mir gefallen die Hitchcock-Filme auch.

3.5 B2
1) In der Schweiz, im Kanton Graubünden
2) Europas höchstgelegene Stadt 1560 Meter ü. M.
3) Ski fahren, snowboarden, Freeski-, Freeride- und Freestyle-Ski fahren, wandern, in der Sonne liegen, Gleitschirm fliegen, Delta fliegen, Schlitten fahren, walken, Mountainbike fahren, Museen besuchen, Golf spielen usw.
4) in Hotels, Pensionen, Ferienwohnungen, Chalets

3.5 C

1) F, sie haben eine Woche in Davos verbracht.
2) R
3) F, sie haben in einer Familienpension gewohnt.
4) R
5) F, er fährt Snowboard.
6) F, Herr Weber ist nur zweimal Ski gefahren.
7) F, sie hatten die ganze Woche Sonne.
8) R

3.5 D1

1) sind
2) haben
3) hat
4) haben
5) haben
6) haben
7) hat
8) haben
9) haben
10) sind
11) haben
12) haben
13) sind
14) hat

KAPITEL 4

4.1 A
(mögliche Lösungen)
Nestlé: Nahrungsmittel, Siemens: Haushaltsgeräte,
Bayer: pharmazeutische Produkte, Daimler: Autos, Faber-
Kastell: Farbstifte, IBM: Computer, Securitas:
Sicherheitstechnik, Sicherheitsdienstleistungen

4.1 B1
1e, 2a, 3b, 4c, 5d

4.1 C

Schwarzkopf:	Toilettenartikel. Haarpflegeprodukte, Shampoo, Haarspray, Deos.
Grundig:	Unterhaltungselektronik. Radios, Fernsehapparate, Stereoanlagen.
Bayer:	Arzneimittel. Rezeptfreie Arzneimittel gegen Schmerzen, Husten und Erkältungen, Aspirin.
MAN:	Kraftfahrzeuge. Reisebusse.
Siemens:	Haushaltsgeräte, Informationstechnik. Telefon mit Anrufbeantworter.

4.2 A
1g, 2e, 3d, 4a, 5f, 6j, 7i, 8b, 9c, 10h, 11k

4.2 B

1) Mobility Car Sharing: Dienstleistungsbranche
2) Nespresso: Nahrungsmittelindustrie
3) Daimler AG: Automobil- und Kraftfahrzeugbau, Luft-
   und Raumfahrtindustrie
4) IWC: Uhrenindustrie
5) Hugo Boss: Textil- und Bekleidungsindustrie
Die Dienstleistungsbranche ist in Aufgabe A nicht
aufgeführt

4.2 E1
1f, 2c, 3d, 4e, 5b, 6a

4.2 F1

Merck:	Chemiebranche, rezeptfreie Arzneimittel, Produkte für die Selbstmedikation, Spezialprodukte für Elektronik-, Kosmetik-, Pharma- und Biotech-Industrie, Flüssig-kristall-Materialien
Dr. Oetker:	Nahrungsmittelindustrie, Backpulver, Backmischungen, Desserts, Tiefkühl-Pizza, Snacks.
Otis:	Transportsysteme, Aufzüge, Fahrtreppen, Fahrsteigen

4.3 A1

1) 250 000
2) 3 845 000
3) 38 062 000 000 / 38 062 Mio.
4) 13,5 %
5) 1998

4.3 A2
9, 1 000 000, 499, 50 000 000, 99 %, 37,5 %, 70,6 %, 2009

4.3 A3
a) 136 700 b) 66 698 000 c) 2015 d) 6 078 Mio. e) 7,6 %
f) 1986 g) 17 500 h) 15,6 % i) 1 200 000 j) 8 900 Mio.

4.3 B1

Jack Wolfskin:	Bekleidung, 251 Mio. Euro, 400 Mitarbeiter.
BASF:	Chemieindustrie, 62 Mrd. Euro, 97 000 Mitarbeiter.
Kessel:	Kraftfahrzeugindustrie, 900 000 bis 1 Mio. Euro, 27 Mitarbeiter.

4.3 B2

großer Konzern:	BASF
mittelständisches Unternehmen:	Jack Wolfskin
kleine Firma:	Kessel

4.4 A1

1) In der Energie- und Automationstechnik
2) Asea Brown Boveri
3) 1988
4) Energietechnikprodukte, Energietechniksysteme, Automationsprodukte, Prozessautomationssysteme, Robotik.
5) In 100 Ländern.
6) Über 330 konsolidierte Tochtergesellschaften.
7) Nein, auch in Südamerika, in Asien, im Nahen Osten und in Afrika.
8) Der Standort Deutschland.
9) Europa: 13 093 Mio. US-$, Asien: 8 684 Mio. US-$, Nord- und Südamerika: 6 049 Mio. US-$, Naher Osten und Afrika: 3 969 US-$ (jährlich variierende Zahlen).

4.3 B3

Name des Konzerns: Metro Group
Geschäftsfelder: Großhandel, Lebensmitteleinzelhandel, Nonfood-Fachmärkte und Warenhäuser
Hauptsitz der AG: Düsseldorf
Sitz der GmbHs: Düsseldorf, Mönchengladbach, Ingolstadt, Köln
Anzahl der Standorte: 2100
In wie vielen Ländern ist die Gruppe vertreten: 33
Mitarbeiter insgesamt: 300 000
Gesamtumsatz: 65,5 Milliarden Euro
Umsatz im Ausland: 59 %

4.5 A1

Branche: Versandfirma
Produkte: v.a. Bekleidung und Schuhe
Existiert seit: 1952
Zahl der Gruppenunternehmen: 51
Standorte: 20 Länder in Europa, Amerika, Asien
Umsatz: knapp 10 Mrd. Euro
Mitarbeiter: rund 50 000
Aktivitäten im Ausland: hat britisches Handels-unternehmen Goodmans, London übernommen, Position in Großbritannien verstärkt und den Marktanteil dort auf 15 % erhöht

4.5 A2

2, 4

4.5 B1

Die Mitarbeiterzahl hat sich von 3 auf 100 erhöht. Es gibt heute 3 Standorte und 15 Produkte. In Zukunft plant die Firma ihre Mitarbeiterzahl zu erhöhen, weiter zu wachsen, weitere Filialen zu eröffnen und die Produktpalette zu erweitern.

4.5 B2

a) gibt
b) leitet
c) anfing
d) arbeiten
e) wächst
f) erweitern
g) eröffnen
h) befindet

KAPITEL 5

5.1 A2

a) Konstruktion, b) kaufmännische,
c) Informationssysteme, d) Vertrieb, e) Innendienst,
f) Fertigung/Montage, g) Kundendienst,
h) Rechnungswesen /Buchhaltung, i) Materialwirtschaft / Logistik, j) Personal, k) Ausbildung

5.1 B1

Sie soll im Vertrieb, in der kaufmännischen Abteilung und in der Produktion arbeiten.

5.1 B2

1) Dr. Schwarz, 2) Frau Suter, 3) Frau Peer, 4) Herr Knupfer,
5) Herr Leuenberger, 6) Herr Neuenschwander

5.1 D

1e, 2d, 3a, 4c, 5b

5.1 E

1) das Marketing
2) das Rechnungswesen / die Buchhaltung
3) die Abteilung Informationssysteme
4) die Abteilung Marketing / Werbung
5) der Wareneingang / die Lagerung
6) der Kundendienst
7) die Produktion
8) die Ausbildung
9) der Innendienst
10) die Qualitätssicherung

5.2 A1

1) Schichtarbeit, 2) gleitende Arbeitszeit, 3) Blockzeit,
4) Feierabend, 5) Mittagspause, 6) Überstunden,
7) Urlaubstage, 8) Feiertage

5.2 C1

1) 41,2 Stunden
2) In Rumänien, Polen und Österreich arbeitet man am meisten.
   Am wenigsten arbeitet man in Frankreich, Belgien und Irland.
3) individuelle Lösung

5.2 D1

1) pro Monat, 2) Nettogehalt, 3) Fahrtgeld,
4) 13. Monatsgehalt, 5) Essensmarken für die Kantine

5.3 A1

1) in, 2) gegenüber, 3) Rechts vom, 4) Links vom, 5) Neben,
6) gegenüber, 7) zwischen, 8) Hinter

5.3 B2

Dialog 1: Personalleiters
Dialog 2: Vertrieb
Dialog 3: Produktionsabteilung
Dialog 4: Poststelle

5.4 A1

1b, 2a, 3d, 4c

5.4 A2

1) Herr Kunz, 2) Frau Kissling, 3) Frau Gut, 4) Herr Gärtner

5.4 B1

1e, 2a, 3b, 4d, 5c, 6f

5.4 B2

1) Sie arbeitet mit den Abteilungen Entwicklung/
   Konstruktion, Rechnungswesen und der
   Versandabteilung zusammen.
2) Einmal im Monat.
3) Ja, manchmal.
4) Die Kunden reklamieren, wenn Waren nicht rechtzeitig
   ankommen oder nicht richtig funktionieren.

5.4 C

Ursula Kissling: Sekretärin, Zuständigkeiten: allgemeine
Büroarbeiten
Benno Kunz: Verkaufsberater, Zuständigkeiten:
Kundenbetreuung

5.5 A1

1: G, 2: G, 3: G, 4: G, 5: G, 6: K, 7: K, 8: K, 9: K, 10: K, 11: S,
12: S

5.5 D

1) Sie findet ihre Kollegen nett.
2) Seit einem halben Jahr.
3) Jan Sommer arbeitet in der Produktion.
4) Das Arbeitsklima ist schlecht.
5) Frau Knupfer findet er anspruchsvoll. Herr
   Neuenschwander ist ein unsympathischer Typ.
   Herr Latour ist ehrgeizig, er konkurriert mit den
   anderen und ist überhaupt nicht hilfsbereit. Herrn
   Dietrich findet Jan nett.

5.5 E1

b) gut

Zum Lesen

2) F. Der Verdienstunterschied zwischen Männern und
   Frauen beträgt 23 % (Stand 2006).
4) F. In keiner Branche (keinem Wirtschaftszweig)
   verdienen Frauen mehr als Männer.
5) F. Den Frauen fehlt anscheinend nicht die
   Qualifikation.
8) F. Es scheint also, als würden Frauen durch die
   schwangerschafts- und mutterschutzbedingte
   Erwerbspause und die oft daran anschließenden
   Erziehungszeiten den Anschluss an die
   Verdienstentwicklung der Männer verlieren.

KAPITEL 6

6.1 A2

1) Das Hotel Krone ist ein 3-Sterne Hotel, das Hotel City
   ist ein 4-Sterne Hotel.
2) Das Hotel Krone liegt in zentraler, ruhiger Lage.
   Das Hotel City liegt im Herzen Hannovers, direkt
   gegenüber des Hauptbahnhofs.
3) Das Hotel Krone ist nur wenige Gehminuten vom
   Hauptbahnhof entfernt. Das Hotel City ist direkt
   gegenüber des Hauptbahnhofs.
4) Das Hotel Krone hat 106 Zimmer, das Hotel City hat
   über 80 Zimmer.
5) Die Zimmer im Hotel Krone haben Bad/Dusche/WC,
   Telefon, TV, Kühlschrank und Internetanschluss.
   Die Zimmer im Hotel City haben eine geschmackvolle
   Einrichtung und schalldichte Fenster.
6) Das Hotel Krone bietet internationale Küche, das
   Hotel City bietet internationale Spezialitäten.
7) Das Hotel Krone hat eine Hotelbar. Das Hotel City hat
   ein Hallenbad, eine Sauna, ein Fitness-Studio und eine
   Hotelbar.
8) Das Hotel Krone hat eine Gartenterrasse. Das Hotel
   City hat eine hoteleigene Tiefgarage.

6.1 B1/B2

1) F. Frau Schumacher hat das Hotel im Hotelverzeichnis
   der Tourist-Information gefunden.
2) R,
3) F. Frau Borer begleitet ihren Mann zur CeBit.
4) R
5) F. Die Zimmer zu 130 Euro haben einen Internetanschluss, die zu 79 haben eine Minibar.
6) F. Das Frühstück ist im Preis inbegriffen.
7) F. Herr Borer ist geschäftlich unterwegs.
8) R

6.1 C

1b, 2c, 3a

6.2 A1

1) 13 Züge. Die Fahrtzeiten betragen zwischen 3 Stunden 50 Minuten und 5 Stunden 17 Minuten
2) Man kann mit dem ICE 772, 770, 2872 direkt fahren. Die Fahrzeit beträgt 3 Stunden und 50 Minuten.
3) Man muss in Mannheim umsteigen. Man fährt mit dem IC und dem ICE.
4) Am besten fährt man mit dem ICE 770 um 9:27 ab Stuttgart.
5) Ab Stuttgart mit dem ICE 620 um 9:51 Uhr, an Mannheim um 10:27 Uhr. Ab Mannheim mit dem ICE 276 um 12:31 Uhr bis Kassel-Wilhelmshöhe, Ankunft 14:41 Uhr. Ab Kassel-Wilhelmshöhe mit dem IC 2372 um 14:55, an Hannover um 15:56 Uhr.
6) Stuttgart – Frankfurt: IC 2872; Frankfurt – Hannover: IC 28082

6.2 B

1) Donnerstag
2) gegen 9 Uhr
3) InterCity 2141: Abfahrt 9:13Uhr; Ankunft: 12:18 Uhr / ICE: Abfahrt: 9:48 Uhr; Ankunft: 12:28 Uhr oder ICE: Abfahrt: 10:48 Uhr; Ankunft: 13:28 Uhr
4) Es gibt keine Anschlusszüge, alle genannten Züge fahren direkt von Köln nach Hannover, man muss nicht umsteigen.
5) 3 Stunden, 5 Minuten (Frau Schumacher wählt den InterCity)

6.2 C

1) Er fährt hin und zurück.
2) Er fährt erster Klasse.
3) Er fährt am 3. März.
4) Er möchte einen Fensterplatz.
5) Frau Schumacher zahlt die Fahrkarte mit Kreditkarte.
6) Frau Schuhmacher oder Herr Borer kann die Fahrkarte mit der Kreditkarte am Automaten am Bahnhof abholen.

6.2 D

1) Gehen Sie zu Gleis 4.
2) Steigen Sie in den Zug von Gleis 9 ein.
3) Sie müssen auf Gleis 8 auf den Zug warten.
4) Gehen Sie zu Gleis 3.

6.3 A

1b/c, 2d, 3a, 4c, 5a, 6c, 7c, 8b, 9d

6.3 B

a11, b3, c6, d10, e1, f7, g12, h2, i5, j8, k9, l4

6.3 C

1) Falsch. Sie will nicht von öffentlichen Verkehrsmitteln abhängig sein.
2) Richtig.
3) Falsch.Versicherung für Schäden und MwSt sind im Preis inbegriffen.
4) Richtig.
5) Falsch. Das Benzin muss sie selber bezahlen
6) Falsch. Nur der Smart verbraucht 4 Liter auf 100 km.
7) Richtig.
8) Richtig
9) Falsch. Der Smart und der Cinquecento haben ein GPS.
10) Falsch. Sie muss das Auto am Terminal A abgeben.

6.4 A1

siehe Transkription der Hörtexte, Track 25

6.4 B

a) starten, b) Richtung, c) Straße, d) scharf,
e) Marienstraße, f) Straßenverlauf, g) biegen,
h) Folgen, i) Ziel

6.5 B1

Informations- und Telekommunikationstechnik,
7500 Aussteller, 65 Nationen, mehr als eine halbe Mio. Besucher, aus über 100 Ländern, Fachleute aus allen Anwendungsbereichen, Industrie, Handel, Handwerk, freie Berufe, Verwaltung, Wissenschaft, neue Kontakte knüpfen, Absatzchancen erhöhen

6.5 C2

Interview 1:	Absatz steigern, den Kontakt zu Kunden pflegen
Interview 2:	Produktinnovation vorstellen, Akzeptanz des Produkts am Markt testen, sich über Neuheiten und Entwicklungstrends informieren, die Konkurrenz beobachten
Interview 3:	Die Firma bekannt machen, Produktinnovation vorstellen, neue Kunden gewinnen, Händler und Vertriebsgesellschaften suchen

Alphabetische Wörterliste

– Bei zusammengesetzten Verben ist der abtrennbare Teil unterstrichen: abholen
– Bei starken Verben sind in Klammern die Vokale der Stammformen (2. + 3. Pers. Singular Präsens, Präteritum, Partizip Perfekt) angegeben:
  anbieten (ie, o, o) er bietet, bot, geboten
– Die mit * bezeichneten Verben werden in den zusammengesetzten Zeiten mit „sein" konjugiert: ankommen (o, a, o)* er ist angekommen.

A

ab	1.2
abbiegen* (ie, o, o)	6.4
das Abendessen, -	2.4
abfahren* (ä, u, a)	6.2
die Abfahrt, -en	6.2
abgeben (i, a, e)	6.3
abhängen von + Dat (ä, i, a)	5.1
abhängig sein (von) + Dat.	5.1
abholen	3.1
die Ablage machen	5.4
absagen (einen Termin …)	1.5
der Absatz	6.5
abschließen (ie, o, o)	6.5
abstellen	2.2
die Abteilung, -en	1.3
abwechslungsreich	5.5
achten auf + Akk.	5.1
die Adresse, -n	2.3
die AG (Aktiengesellschaft)	4.2
ähnlich	4.2
die Aktivität, -en	3.4
aktuell	5.5
die Akzeptanz	6.5
der Alkohol	3.2
alkoholfrei	3.2
als	6.2
also	6.2
die Alternative, -n	6.2
die Altstadt	3.3

an + Akk. oder Dat.	1.2
anbieten (ie, o, o)	2.2
ändern	1.2
anfangen (ä, i, a)	2.4
die Anfrage, -n	5.4
das Angebot, -e	1.5
angenehm	3.1
ankommen (o, a, o)*	2.2
ankündigen	6.2
die Ankunft, ¨-e	6.2
die Anmeldung, -en	2.4
annehmen (i, a, o)	5.1
der Anruf, -e	1.1
der Anrufbeantworter, -	1.4
anrufen (u, ie, u)	1.1
der Anschluss, ¨-e	1.2
die Anschlussverbindung, -en	6.2
die Anschrift, -en	1.4
sich ansehen	2.2
antworten auf + Akk.	5.1
die Anzahl	4.3
die Anzeige, -n	3.1
der Apfel, ¨-	3.2
der Apfelsaft	2.2
die Apotheke, -n	6.3
die Arbeit, -en	2.1
das Arbeitsklima	5.5
arbeitslos	3.3
die Arbeitszeit, -en	5.2
das Arbeitszimmer, -	3.3

sich ärgern über + Akk.	5.1
das Arzneimittel, -	4.1
der Aschenbecher, -	2.2
die Atmosphäre (nur Sg.)	3.1
auf + Akk. oder Dat.	5.3
auf Wiedersehen	2.1
aufbauen	4.2
aufbleiben (ei, ie, ie)*	3.1
der Aufenthalt, -e	6.1
die Aufgabe, -n	5.4
aufhören (mit)	2.4
auflegen	1.2
aufnehmen (i, a, o) (Kontakt …)	1.4
aufpassen auf + Akk.	5.1
aufteilen	5.1
der Auftrag, ¨-e	1.4
der Aufwand, ¨-e	4.3
der Aufzug, ¨-e	3.3
aus + Dat.	5.3
ausbilden	2.5
die Ausbildung	2.5
die Ausbildung, -en	2.5
der Ausflug, ¨-e	3.5
ausführen	2.5
ausgeben (i, a, e)	3.4
ausgezeichnet	3.1
die Auskunft, ¨-e	1.1
das Ausland	4.3
ausliefern	2.5
ausrichten	1.2
der Außendienst, -e	4.2
außer	5.2
außerhalb + Gen.	3.3
die Aussicht, -en	3.5
ausstatten	6.1
die Ausstattung, -en	3.3
aussteigen* (ei, ie, ie)	6.2

ausstellen	6.5
der Aussteller, -	6.5
die Ausstellung, -en	4.5
austauschen	4.3
ausüben	3.4
die Auswahl	3.1
der Ausweis, -e	6.3
sich ausweisen (ei, ie, ie)	6.3
der/die Auszubildende, -n	2.3
das Auto, -s	3.3
die Autofahrt, -en	2.1
der Autovermieter, -	6.3
die Autovermietung, -en	6.3

B

der Balkon, -s (-e)	3.3
die Banane, -n	3.2
die Bank, -en	4.2
die Bar, -s	6.1
beabsichtigen	4.5
bearbeiten	5.1
sich bedanken für + Akk.	5.1
der Bedarf	5.4
bedeuten	4.3
die Bedienung, -en	3.2
beeinflussen	5.5
sich befassen mit + Dat.	5.1
sich befinden (i, a, u)	6.1
begeistert sein von + Dat.	5.1
beginnen mit + Dat. (i, a, o)	5.1
begleiten	6.1
begrüßen	2.1
die Begrüßung	2.1
bei + Dat.	5.3
der Beitrag, ¨-e	2.4
bekannt	3.3
die Bekleidung	4.2

D

da	6.2
da drüben	2.5
dahin	5.3
damit	6.2
danken für + Akk.	5.1
darstellen	6.5
dauern	2.4
defekt	1.4
denken an + Akk. (e, a, a)	5.1
deshalb	6.2
das Dessert, -s	3.2
die Dienstleistung, -en	4.2
die Disco, -s	3.4
diskutieren über + Akk.	5.1
das Doppelzimmer, -	6.1
das Dorf, ¨-er	3.3
dort	2.5
draußen	3.1
dringend	1.4
der Drucker, -	4.1
durch + Akk.	5.3
durchgehend	6.3
die Durchsage, -n	6.2
der Durchschnitt	4.3
durchschnittlich	3.4
die Durchwahlnummer, -n	1.1
dürfen	2.2

E

ehrgeizig	5.5
das Ei, -er	3.2
die Eigenschaft, -en	5.5
einbiegen* (ie, o, o)	6.4
einchecken	6.1
einfach	6.2
das Einfamilienhaus, ¨-er	3.3

einhalten (ä, ie, a)	1.5
der Einkauf, ¨-e	2.5
einkaufen	2.5
das Einkommen, -	2.1
einladen (ä, u, a)	3.1
die Einladung, -en	3.1
einmal	3.2
einrichten	6.1
einsatzbereit	5.5
einschließlich	5.2
einsteigen* (ei, ie, ie) (in einen Markt …)	4.5
einstellen	2.5
die Einstellung (zur Arbeit)	5.5
eintragen in + Akk. (ä, u, a)	6.4
die Einzelheit, -en	1.4
das Einzelunternehmen, -	4.4
das Einzelzimmer, -	6.1
das Eis	3.2
die Eisenbahnschiene, -n	5.3
die Elternzeit	5.5
der Empfang, ¨-e	2.5
empfehlen (ie, a, o)	3.1
entdecken	6.5
entfernt	6.1
entgegennehmen (i, a, o)	5.4
enthalten (ä, ie, a)	3.2
entlang + Akk.	5.3
entlanggehen* (e, i, a)	5.3
entnehmen (i, a, o)	6.1
sich entscheiden (ei ie, ie)	3.1
entscheiden über + Akk. (ei, ie, ie)	5.1
die Entscheidung, -en	6.5
sich entschließen (ie, o, o)	6.3
enttäuscht sein von + Dat.	5.1
(sich) entwickeln	3.4
die Entwicklung, -en	5.1
das Erdgeschoss	5.3

flexibel	5.5	die Gegend, -en	3.5
fliegen (ie, o, o)*	3.5	gegenseitig	5.5
der Flug, ¨-e	2.1	gegenüber + Dat.	2.5
die Fluggesellschaft, -en	4.2	gegliedert sein	4.4
der Flughafen, ¨-	2.1	das Gehalt, ¨-er	5.2
der Fluglotse, -n	1.5	die Gehaltserhöhung, -en	5.2
das Flugzeug, -e	2.1	gehen (e,i,a,)*	3.4
die Folge, -n	4.3	die Gehminute, -n	6.1
folgen + Dat.	6.4	gehören zu + Dat.	3.4
folgend	1.4	der Geländeplan, ¨-e	5.3
die Forschung	5.1	gelassen	5.5
fotokopieren	2.2	der Geldwechsel	6.3
der Fotokopierer, -	2.2	gelten (i, a, o)	4.5
die Frage, -n	2.1	gemeinsam	6.3
fragen nach + Dat.	5.1	gemischt	3.2
frei	1.2	das Gemüse (Sg.)	3.2
die Freizeit	3.4	gemütlich	3.1
das Freizeitangebot, -e	3.3	genau	5.5
das Freizeitbudget, -s	3.4	genießen (ie, o, o)	4.5
sich freuen auf / ... über + Akk.	3.1	das Gepäck	6.3
freundlich	2.1	die Gepäckausgabe	6.3
führend	4.2	das Gepäckschließfach, ¨-er	6.3
die Funktion, -en	2.3	gepflegt	3.1
funktionieren	1.3	gerade	1.3
für + Akk.	1.1	geradeaus	5.3
		das Gerät, -e	4.1

G

		gering	5.2
der Gangplatz, ¨-e	6.2	gesamt	4.4
der Garten, ¨-	3.3	geschäftlich	2.1
das Gästezimmer, -	3.3	der Geschäftsbereich, -e	4.4
das Gebäude, -	3.3	das Geschäftsfeld, -er	4.4
geben (i, a, e)	2.2	der Geschäftsfreund, -e	3.1
das Gebiet, -e	3.5	der Geschäftsführer,-	2.3
geduldig	5.5	die Geschäftführung, -en	5.1
geeignet sein	3.1	das Geschäftsleben,-	3.1
gefallen (ä, ie, a)	2.1	die Geschäftsreise, -n	1.2
gegen + Akk.	5.3	die Geschäftssituation, -en	2.1

hinterlassen (ä, ie, a) (eine Nachricht …)	1.1
der Hobbyraum, ¨-e	3.3
hoch	4.3
höflich	5.5
die Holdinggesellschaft, -en	4.4
holen	2.2
hören von + Dat.	5.1
das Hotel, -s	3.5
das Hotelverzeichnis, -se	6.1
humorvoll	5.5
der Husten	4.1

I

der IC	6.2
der ICE (Intercityexpress)	6.2
die Illustrierte, -n	3.4
im ersten Stock	5.3
in + Akk. oder Dat.	1.2
in der Nähe + Gen. / … von + Dat.	3.3
der Inbegriff	4.5
inbegriffen	3.2
indem	6.2
die Industriestadt	3.3
die Informationstechnik	4.1
sich informieren über + Akk.	5.1
inklusive	6.1
der Innendienst, -e	5.1
innerhalb + Gen.	3.3
intelligent	5.5
das Interesse, -n	3.4
sich interessieren für + Akk.	3.4
interessiert sein an + Dat.	5.1
das Internet	6.1
der Internetanschluss	6.1
interviewen	4.3
irgendwann	3.1

J

joggen	3.4
das Jogging	3.4

K

der Kaffee	2.2
die Kaffeepause	2.4
das Kalbfleisch	3.2
kalt	3.2
kämpfen für / gegen + Akk.	5.1
die Kapazität, -en	6.5
kaputt	2.2
die Kartoffel, -n	3.2
der Käse	3.2
der Katalog, -e	1.3
die Kauffrau, -en	5.2
die Kaufkraft	3.4
der Kaufmann, die Kaufleute	5.2
kaufmännisch	5.1
der Keks, e	2.2
der Keller, -	3.3
der Kellner, -	3.2
die Kellnerin, -nen	3.2
der Kernbereich, -e	4.5
die Kernkompetenz, -en	4.3
die Kernzeit, -en	5.2
das Kind, -er	3.4
die Klasse	6.2
die Kleinstadt, ¨-e	3.3
knapp	6.3
knüpfen (Kontakt …)	6.5
der Koffer, -	2.2
das Konferenzzimmer, -	2.5
der Konkurrent, -en	6.5
die Konkurrenz	6.5
konkurrieren	5.5
können	2.2

die Mietwohnung	3.3	nebenan	2.5
die Mikrowelle, -n	4.1	der Nebenberuf, -e	3.4
mild	3.2	nehmen (i, a, o)	2.2
das Mineralwasser	2.2	nennen (e, a, a)	3.5
mit + Dat.	5.3	das Nettogehalt	5.2
der Mitarbeiter, -	1.3	die Neuheit, -en	6.5
die Mitarbeiterin, -nen	1.3	nicht wahr?	2.1
miteinander	5.5	der Nichtraucher, -	3.1
das Mitglied, -er	3.4	die Niederlassung, -en	4.5
mitkommen (o, a, o)*	2.2	niedrig	4.3
das Mittagessen, -	2.4	normalerweise	5.2
die Mittagspause, -n	2.4	notwendig	6.5
mittel	3.2	die Nudeln (Pl.)	3.2
mittelgroß	3.3	die Nummer, -n	2.3
mittelständisch	4.3	nützlich	5.5
mögen	2.2		
das Monatsgehalt, ¨-er	5.2	**O**	
das Museum, die Museen	6.4	oben	5.3
Musik hören	3.4	der Ober, -	3.2
musizieren	3.4	das Obst (Sg.)	3.2
		obwohl	6.2
N		offen	3.2
nach + Dat.	1.2	öffentlich	6.1
nach dem Weg fragen	5.3	die öffentlichen Verkehrsmittel (Pl.)	6.2
der Nachbar, -n	2.3	die Öffnungszeit, -en	3.1
nachdem	6.2	oft	5.4
die Nachfrage	4.3	ohne + Akk.	5.3
der Nachname, -n	2.3	das Opernhaus	6.4
die Nachricht, -en	1.4	die Orange, -n	3.2
nächst-	1.2	der Orangensaft	2.2
die Nacht, ¨-e	6.1	das Organigramm, -e	4.4
der Nachtisch, -e	3.2	die Ortsvorwahl	1.1
die Nähe	6.1		
das Nahrungsmittel, -	4.2	**P**	
der Name, -n	2.3	das Parkhaus, ¨-er	6.1
das Navigationssystem, -e (GPS)	6.3	die Parkmöglichkeit, -en	6.1
neben + Akk. oder Dat.	5.3	der Parkplatz, ¨-e	3.1

135

der Rotwein, -e	3.2	der Schreibtisch, -e	6.1
die Rückfahrt, -en	6.2	schriftlich	5.1
der Rückruf, -e	1.4	schwach	4.3
die Rufnummer, -n	1.1	der Schwager, ¨-	3.3
ruhig	3.3	die Schwägerin, -nen	3.3
runter	6.4	das Schweinefleisch	3.2
<u>run</u>tergehen* (e, i, a)	5.3	schwer	3.2
		die Schwester, -n	3.3
S		schwimmen (i, a, o)*	3.4
der Saft, ¨-e	3.2	die Sehenswürdigkeit, -en	3.3
die Sahne	3.2	die Seife, -n	4.1
der Salat, -e	3.2	sein (ist, war, ist gewesen)	2.1
das Salz	3.2	seit + Dat.	5.3
sammeln	6.5	seitdem	6.2
satt	3.2	das Sekretariat	2.5
die Sauce, -n (auch: Soße, -n)	3.2	die Sekretärin, -nen	2.3
die S-Bahn, -en	3.3	der Sektor, -en	4.1
schade	2.1	selbstständig/selbständig	5.5
der Schaden, ¨-	6.3	selbstverständlich	1.4
schalldicht	6.1	das Seminar, -e	2.4
der Schalter, -	6.2	die Sendung, -en	3.4
scharf	3.2	der Senf	3.2
scheinen (ei, ie, ie) (die Sonne …)	2.1	senken	3.4
die Schichtarbeit	5.2	der Service	3.1
schicken	1.3	sichern	4.5
der Schinken	3.2	sinken (i, a, u)*	3.4
das Schlafzimmer, -	3.3	die Sitzung, -en	1.4
schließen (ie, o, o)	4.3	Ski fahren (ä, u, a)*	3.4
die Schließung, -en	4.3	sobald	6.2
schmecken (nach + Dat.)	3.1	sodass	6.2
das Schmerzmittel, -	4.1	der Sohn, ¨-e	3.3
der Schnee	3.5	solange	6.2
Schneeschuh laufen (ä, ie, a)*	3.4	die Sonne	2.1
schneien (es …)	3.5	sonst	6.2
das Schnitzel, -	3.2	sorgfältig	4.5
schrecklich	2.1	das Sortiment, -e	6.5
schreiben (ei, ie, ie)	2.5	die Sozialleistung, -en	4.5

die Telefonnummer, -n	1.1	die Überstunde, -n	5.2
die Telefonzelle, -n	1.1	überwachen	5.4
der Termin, -e	1.4	überzeugen	5.1
der Terminkalender, -	1.5	um + Akk.	1.2
testen	2.5	umfassen	4.4
teuer	5.2	die Umfrage, -n	5.2
das Thema, Themen	2.4	der Umsatz, ¨-e	4.3
die Tiefgarage, -n	6.1	umsteigen* (ei, ie, ie)	6.2
der Tierpark, -s (der Zoo, -s)	3.3	die Umstrukturierung, -en	4.3
die Tochter, ¨-er	3.3	die Umweltverschmutzung	3.3
die Tochtergesellschaft, -en	4.4	unabhängig	5.5
die Toilette, -n	2.2	die Unannehmlichkeit, -en	1.5
der Toilettenartikel, -	4.1	unbeschränkt	6.3
die Tomate, -n	3.2	unten	5.3
die/der Trainee, -s	5.2	unter + Akk. oder Dat.	4.2
die Transportanlage, -n	3.5	sich unterhalten (ä, ie, a) mit + Dat.	3.4
sich treffen (i, a, o) mit + Dat.	2.1	sich unterhalten über + Akk. (ä, ie, a)	5.1
der Treffpunkt, -e	6.3	die Unterhaltung, -en	3.1
der Trend, -s	3.4	die Unterlage, -n	1.5
die Treppe, -n	5.3	das Unternehmen, -	4.1
trinken (i, a, u)	2.2	der Unterschied, -e	5.2
trotzdem	6.2	unterschiedlich	4.1
tschüs(s)	2.1	unterstützen	5.5
der Typ, -en	6.2	unterwegs	1.5
		der Urlaub	2.1

U

		das Urlaubsgeld	5.2
die U-Bahn, -en	3.3	der Urlaubstag, -e	5.2
über + Akk. oder Dat.	5.3		
überlegen	6.4	## V	
übermorgen	1.2	vegetarisch	3.2
übernachten	5.5	sich verabreden mit + Dat.	5.1
übernehmen (i, a, o)	6.3	sich verabschieden von + Dat.	2.1
überprüfen	6.3	die Verabschiedung	2.1
überqueren	6.4	verantwortlich sein für + Akk.	5.1
überraschen	5.2	verbessern	5.5
überreichen	2.3	verbinden (i, a, u) mit + Dat.	1.2
die Übersicht, -en	4.3	die Verbindung, -en	1.1

warm	3.2
warten auf + Akk.	5.1
der Wartesaal, -säle	6.3
warum	1.1
was	1.1
was für	1.1
wechseln	6.3
der Weg, -e	6.4
die Wegbeschreibung, -en	6.4
wegen + Gen.	1.3
weglassen (ä, ie, a)	1.1
weil	6.2
der Wein, -e	3.2
der Weißwein, -e	3.2
die Weiterbildung, -en	4.5
welche-	1.1
die Welt	4.3
weltweit	4.2
wem	1.1
wen	1.1
sich wenden an + Akk.	5.1
wenn	5.2
wer	1.1
das Werbegeschenk, -e	4.5
werben (i, a, o)	6.5
die Werbung	5.1
das Werk, -e	4.2
wertvoll	6.5
das Wetter	2.1
wichtig	3.1
wie	1.1
wie alt	1.1
wie groß	1.1
wie hoch	1.1
wie lange	1.1
wie oft	1.1
wie spät	1.1

wie viel	1.1
wiederholen	1.4
die Wirtschaft	4.3
wirtschaftlich	4.4
die Wissenschaft, -en	6.5
wo	1.1
die Woche, -n	2.1
woher	1.1
wohin	1.1
wohnen	3.3
die Wohnfläche, -n	3.3
die Wohnung, -en	3.3
das Wohnzimmer, -	3.3
der Wolkenkratzer, -	3.3
worüber	1.1
wovon	1.1
wunderbar	3.5
der Wunsch, ¨-e	6.5
die Wurzel, -n	4.2

Z

zäh	3.2
die Zahl, -en	3.4
zahlen	3.2
zählen zu + Dat.	4.2
die Zahnpasta, -pasten	4.1
zeichnen	2.5
zeigen	2.2
die Zeitung, -en	3.4
zentral	6.1
das Zentrum, die Zentren	3.3
das Ziel, -e	4.2
ziemlich	3.3
das Zimmer, -	3.3
der Zoo, -s	6.4
zu + Dat.	5.3
zu Fuß	6.2

Trackliste CD1

	Tracknummer	Dauer
Kapitel 1		
1.1 B	1	0:46
1.1 D	2	2:44
1.2 A	3	0:49
1.2 B	4	1:19
1.2 C	5	1:14
1.2 D	6	2:04
1.3 A	7	1:52
1.3 C	8	1:09
1.3 D	9	1:27
1.4 A	10	1:13
1.4 B	11	1:04
1.4 B	12	0:54
1.4 B	13	1:00
1.4 D	14	1:22
1.5 A	15	2:09
1.5 B	16	1:41
Kapitel 2		
2.1 A	17	0:55
2.1 D	18	0:48
2.2 A	19	0:43
2.2 C	20	1:00
2.3 B	21	0:41
2.3 D	22	1:00
2.4 A	23	0:54
2.5 B	24	2:09
Kapitel 3		
3.1 B	25	1:20
3.2 B	26	1:40
3.2 D	27	0:47
3.3 B	28	2:13
3.3 D	29	1:19
3.4 B	30	1:55
3.5 C	31	2:10
3.5 D	32	1:15

Trackliste CD 2

	Tracknummer	Dauer
Kapitel 4		
4.1 B1	1	1:10
4.1 C	2	1:42
4.2 B	3	1:58
4.2 E1	4	1:17
4.3 A3	5	0:55
4.3 B1	6	2:06
4.4 B2	7	2:32
4.5 A1	8	3:20
Kapitel 5		
5.1 B1	9	2:14
5.1 D	10	1:36
5.2 A2	11	1:04
5.2 D1	12	1:10
5.3 B3	13	1:15
5.4 A1	14	1:10
5.4 B1	15	1:41
5.5 A1	16	2:03
5.5 D	17	1:47
Kapitel 6		
6.1 B1	18	2:10
6.1 C	19	2:12
6.2 B	20	1:29
6.2 C	21	1:27
6.2 D	22	1:28
6.3 A	23	1:37
6.3 C	24	2:17
6.4 A1	25	2:12
6.4 B	26	1:35
6.5 D	27	2:11

Produktion: Tonstudio Selmi, Zürich; andreas nesic, custom music, Stuttgart
Presswerk: optimal media production GmbH, Röbel/ Müritz
Laufzeit: CD1 ca. 44 Minuten, CD2 ca. 48 Minuten

Bildquellennachweis

Cover Fotolia LLC (Thomas von Stetten), New York; Cover Fotolia LLC (pressmaster), New York; Cover shutterstock (Dmitriy Shironosov), New York, NY; 5.1 Fotolia LLC (pressmaster), New York; 8.1 Fotolia LLC (G.G. Lattek), New York; 9 Avenue Images GmbH RF (Imgram Publishing), Hamburg; 17 Avenue Images GmbH RF (CorbisRF), Hamburg; 19 Fotolia LLC (Thomas von Stetten), New York; 20; 22; 23; 26 Helm AG, Suhr; 28.1 Thinkstock (iStockphoto), München; 28.2 iStockphoto (Wojtek Kryczka), Calgary, Alberta; 28.3 Fotolia LLC (RRF), New York; 28.4 iStockphoto (Paul Kooi), Calgary, Alberta; 28.5 iStockphoto (Beata Becla), Calgary, Alberta; 28.6 Fotolia LLC (lucastor), New York; 29.1 Fotolia LLC (janaka Dharmasena), New York; 29.2 iStockphoto (Andrzej Thiel), Calgary, Alberta; 29.3 Fotolia LLC (Bilderbox), New York; 29.4 iStockphoto (g_studio), Calgary, Alberta; 31.1 iStockphoto (Maksim Shmeljov), Calgary, Alberta; 36.1 Fotolia LLC (Felix Horstmann), New York; 36.2 iStockphoto (Jo Becky Tobin), Calgary, Alberta; 38.1 iStockphoto (Jacom Stephens), Calgary, Alberta; 38.2 Fotolia LLC (Alexander Rochau), New York; 40 Davos Tourismus, Davos Platz; 42.1 Luftbild: Stadtvermessungsamt Frankfurt; 42.2 Fotolia LLC (Fotolyse), New York; 42.3 Fotolia LLC (Felix Horstmann), New York; 42.4 Yahoo! Deutschland GmbH (CC-BY-SA-3.0 (Dionhinchcliffe)), München; 42.5 Pitopia (Leon Wolf), Karlsruhe; 42.6 Fotolia LLC (Heino Pattschull), New York; 42.7 Mauritius Images, Mittenwald; 43 Thinkstock (iStockphoto), München; 44.1 Nestlé Deutschland AG, Frankfurt/M.; 44.2 Siemens AG, München; 44.3 Bayer AG, Leverkusen; 44.4 Securitas Deutschland, Berlin; 44.5 Faber-Castell AG, Stein; 44.6 IBM Deutschland GmbH, Ehningen; 44.7 Daimler AG, Stuttgart; 44 Fotolia LLC (WoWe), New York; 44 Fotolia LLC (Daniel Fuhr), New York; 44 Thinkstock (iStockphoto), München; 44 Fotolia LLC (Ron-Heidelberg), New York; 44 KIND Hörgeräte GmbH & Co KG, Großburgwedel/Hannover; 45 Fotolia LLC (Dark Vectorangel), New York; 45 Fotolia LLC (RomainQuéré), New York; 45 Fotolia LLC (L. Shat), New York; 46.1–46.11 Symbole: Helm AG, Suhr; 47.1 Merck KGaA, Darmstadt; 47.2 Logo, Stuttgart; 48.1; 48.2 Logo, Stuttgart; 54.1–54.11 Victorinox, Photopress; 55 piqs.de/CC-BY-SA-3.0 (Knipsermann); 73.1–73.12 Symbole: Helm AG, Suhr; 67 Alamy Images (imagebroker), Abingdon, Oxon; 72 Imago (Rolf Braun), Berlin; 74 Stadtkarte Hannover 1:20 000, © Landeshauptstadt Hannover, Geoinformation, 2010; 76 Logos: CeBit, Hannover, spoga gafa, Kölnmesse GmbH; Leipziger Buchmesse; boot, Messe Düsseldorf GmbH; IFA, Messe Berlin GmbH; 78 Ullstein Bild GmbH (Meldepress), Berlin; 78.1 Auma, Berlin.